Foulards et carrés de soie

Foulards et carrés de soie

Nicky Albrechtsen & Fola Solanke

257 illustrations, dont 254 en couleurs

Ci-dessus : Audrey Hepburn portant un foulard autour du cou, accessoire incontournable d'une tenue décontractée dans les années 1950, durant le tournage du film *Vacances romaines*, 1953

Page 2 : Foulard d'un fabricant britannique inconnu, soie, années 1960

SOMMAIRE

INTRODUCTION

« … Il faut bien admettre qu'un foulard n'est ni une tapisserie, ni une robe ; c'est juste un carré de tissu, dans le meilleur des cas en soie, destiné à être porté autour de la tête. Mais il peut être considéré comme une œuvre d'art, et se collectionner comme une estampe ou un livre rare … » Sacheverell Sitwell, 1947

À gauche : Elizabeth Taylor dans *Géant* (1956), le visage encadré d'un foulard drapé souple

Ci-contre : « The laws of Cricket », Liberty, soie, 1980

Le foulard occupe dans la garde-robe du XXe siècle une place tout aussi importante que le sac à main ou la paire de gants. Il est perçu par les créateurs de mode, les illustrateurs et les artistes comme une toile se prêtant admirablement à toute forme de décoration, d'innovation, de publicité et de commémoration. Il existe un large choix de pièces de collection à des prix tout à fait abordables, et il suffit de faire preuve de discernement pour que les foulards vintage s'avèrent être de bons placements.

Il existe aujourd'hui, comme par le passé, de nombreuses cultures où ne pas se couvrir les cheveux est considéré pour une femme comme le signe d'un manque de modestie, c'est pourquoi le foulard demeure une composante essentielle de l'étiquette sociale. Au cours de la première moitié du XXe siècle, le foulard est devenu très populaire en Europe et aux États-Unis car il pouvait avantageusement remplacer dans certaines occasions, en tant qu'accessoire informel, le chapeau que les femmes respectables se devaient de porter en public pour ne pas paraître tête nue. Pendant la Seconde Guerre mondiale, des magazines conseillèrent à leurs lectrices de nouer un foulard de couleur en turban autour de leur tête si elles n'avaient pas assez de tickets de rationnement pour acheter un nouveau chapeau. Au XXIe siècle, porter un beau foulard imprimé a un côté glamour pour de nombreuses femmes musulmanes qui observent la tradition voulant qu'elles se couvrent la tête. En Afrique et aux Antilles, les femmes portent souvent un foulard au décor très coloré, du type de ceux qui entrent dans la composition du costume traditionnel.

Porter un foulard répond parfois aussi à une nécessité : il tient chaud et protège les cheveux. Dans certaines régions de l'Europe de l'Est et de l'Europe du Nord, les foulards dont les femmes se couvraient les cheveux quand elles travaillaient aux champs ou effectuaient des tâches ménagères font partie du costume traditionnel. Pendant la Seconde Guerre mondiale, les femmes qui travaillaient dans les usines de munitions s'entouraient la tête d'un

À gauche : Sophia Loren avec un foulard de soie fleuri de couleurs vives

Ci-contre : Marilyn Monroe posant pour un magazine avec un foulard patriotique

foulard pour éviter d'avoir les cheveux happés par les machines. Dans les années 1950, l'automobile ayant de plus en plus de succès, le foulard, porté pour se protéger les cheveux et le cou du vent, devint une composante essentielle des tenues féminines décontractées et un signe extérieur de richesse. Toujours dans les années 1950, les vedettes de cinéma en firent non seulement un accessoire à la mode mais aussi une icône du style. Les maisons de couture créèrent alors des décors sophistiqués exclusifs, hissant le foulard au rang d'accessoire éminemment désirable.

Pendant tout le XXe siècle, les foulards ont aussi été utilisés comme supports publicitaires pour toute une variété de produits. Après la Seconde Guerre mondiale, les foulards devinrent un outil publicitaire pour l'industrie du tourisme et le monde du spectacle. Des compagnies aériennes et des hôtels éditèrent des foulards portant leur nom, et les nouveaux lieux de villégiature se mirent à proposer comme souvenirs de voyage aux touristes toujours plus nombreux des foulards bon marché. Dans les années 1960 et 1970, l'industrie de la musique, en pleine expansion, utilisa des foulards en synthétique pour promouvoir des groupes tels que les Beatles. Beaucoup de ces foulards sont aujourd'hui des pièces de collection très recherchées.

Les foulards sont ainsi des témoignages historiques fascinants. Édités à l'occasion de diverses fêtes, de couronnements, d'anniversaires officiels ou d'événements sportifs, reflétant les conditions de vie difficiles des années de guerre et les extravagances des années du boom économique, permettant de revivre l'ascension et le déclin d'artistes, de sociétés et même de nations, les foulards sont, contre toute attente, de précieuses archives qui reflètent l'évolution de nos sociétés modernes du début du XXe siècle jusqu'à aujourd'hui.

1 UN SIÈCLE DE STYLES

Cette page et ci-contre : fabricant inconnu, soie, années 1950

Les foulards sont des créations artistiques à part entière mais aussi les produits d'une société, et c'est en tant que tels qu'ils sont révélateurs des changements intervenus de décennie en décennie dans les arts, la mode et le style de vie. Ces accessoires relativement peu chers permettent de suivre les nouvelles tendances sans avoir à remplacer toute sa garde-robe d'une saison à l'autre. Leurs motifs témoignent ainsi de manière très précise de l'évolution du goût au XXe siècle.

Au début des années 1900, les foulards étaient amples – à vrai dire de la taille d'un châle – et le plus souvent à motifs cachemire. Ils étaient imprimés à l'aide de blocs de bois gravés à la main puis imprégnés de teinture. La sérigraphie manuelle, apparue dans les années 1920, ouvrit la voie à une plus grande variété d'imprimés dont bénéficia l'écharpe qui, longue et étroite, allait de pair avec la mince silhouette allongée alors à la mode. Ainsi virent le jour des imprimés à fleurs stylisées inspirés du style Art nouveau de la fin du XIXe siècle, encore en vogue bien après le tournant du XXe siècle. D'autres motifs de cette époque tiraient leur inspiration du Japon, de l'Inde ou de la Grèce antique. Au milieu des années 1920, l'influence du cubisme, du fauvisme et du futurisme se fit sentir : des figures géométriques anguleuses et des courbes audacieuses firent leur apparition sur les foulards. Ceux-ci se parèrent aussi de motifs Art déco – des diagonales, des soleils et des chevrons noirs formant contraste avec des fonds opaques de couleur vive. Ces motifs allaient subsister jusqu'à la fin des années 1940.

Dans les années 1930, on commença à utiliser, à la place de la soie, la rayonne, l'une des premières fibres artificielles, en raison de son coût modique. On passa en même temps de la longue écharpe des années 1920 au foulard de forme rectangulaire ou carrée encore à la mode aujourd'hui. Le carré se portait alors plié en triangle et noué sur le devant à la base du cou. Confectionné en fine mousseline de soie, en crêpe ou dans un tissu gaufré, il était à pois ou à figures géométriques, et souvent de couleur vive.

Au début des années 1940, le foulard, devenu majoritairement utilitaire, se fit plus sobre, la soie et les teintures étant réquisitionnées pour les besoins de la guerre. Le plus souvent en coton, en lin ou en laine, il était surtout destiné à être porté l'hiver. La rayonne se substituait généralement à la soie, qui servait à la confection des parachutes. Plus on avançait dans la guerre, plus les imprimés se firent patriotiques et les couleurs éclatantes. Les motifs nationaux – drapeaux ou emblèmes, par exemple – étaient ceux qui avaient le plus de succès, de même que les pois, les fleurs et les petites figures géométriques simples contrastant fortement avec le fond. Les motifs composant les décors les plus chargés étaient souvent vaguement soulignés de noir. Les nombreuses femmes qui participaient à l'effort de guerre avaient adopté le foulard pour des raisons pratiques, le nouant sous le menton ou dans la nuque. Le foulard se portait cependant aussi sur un pull ou une veste, plié en triangle et noué sur le devant, à la base du cou. Au cours de cette décennie, surtout dans les années qui suivirent la guerre, un certain nombre d'industries textiles et de fabricants de foulards invitèrent de célèbres peintres à créer leurs propres motifs. Ceux-ci furent à l'origine du style plus libre et pictural qui commença à émerger dans les années 1950.

On assista à cette époque à un changement radical : les couleurs devinrent éclatantes, à l'image de la victoire. De grands imprimés fleuris à base de roses, de feuillages et de fougères se détachant sur des fonds bleus ou verts firent leur apparition un peu partout ; les motifs d'atomes avaient également beaucoup de succès. Le foulard se portait alors drapé en souplesse autour des épaules et noué sur le devant ou sur le côté, à la base du cou. Porter le foulard « à la Grace Kelly », c'est-à-dire s'en envelopper la tête, s'en entourer le cou et le nouer dans la nuque, était ce qu'il y avait de plus glamour. C'est ainsi que le portaient les femmes de la jet-set et les stars hollywoodiennes au cours de leurs trajets en décapotable. Un nouveau style d'habillement s'imposa, un style décontracté assorti de foulards aux couleurs vives, imprimés de nouveaux motifs de type figuratif (caniches, célébrités, sacs à main, lettres, voitures, etc.).

Le milieu des années 1950 vit émerger le Pop Art qui, avec le minimalisme à partir de la fin de la décennie, fut à l'origine des motifs graphiques répétitifs caractéristiques des foulards du début des années 1960. Au cours de la seconde moitié de la décennie, les boutiques de Carnaby Street, à Londres, et des stylistes britanniques tels que Mary Quant favorisèrent la création de nouveaux styles de foulards, principalement destinés à la jeunesse. Ceux-ci étaient imprimés le plus souvent de motifs simples et enfantins, mais pouvaient également être décorés de motifs Op Art, hippies ou psychédéliques. Les générations plus âgées, qui s'habillaient de manière plus traditionnelle et n'adhéraient pas aux toutes dernières tendances, adoptèrent à leur tour ces modèles dernier cri, hauts en couleur.

Les tons de terre – brun, pourpre, moutarde, olive – firent fureur dans les années 1970, en association avec des décors constitués de fleurs, de figures géométriques, d'oiseaux, de plumes de paon ou d'autres éléments empruntés à la nature. Le style hippie tirait de l'Inde une large part de son inspiration, et ces foulards d'inspiration indienne avec leurs tons de terre obtenus à partir de teintures naturelles et rehaussés de quelques accents de couleur vive furent une des composantes clés du look hippie. Portés de plus en plus souvent drapés et superposés, les foulards contribuèrent à remettre en question les règles vestimentaires strictes des décennies précédentes. L'écharpe, longue et étroite, revint au goût du jour en même temps que, plus globalement, la mode des années 1930 suite au succès du film *Bonnie & Clyde* (1967). Cette mode rétro fut encouragée à Londres par des boutiques comme Biba.

Dans les années 1980, l'économie mondiale connut un nouvel essor, et le foulard de créateur, portant les initiales ou le logo des grandes maisons de couture ou des grands magasins de luxe, eut beaucoup de succès. Les femmes étant plus nombreuses à exercer une activité professionnelle, le look « executive woman » – couleurs vives et silhouette stricte et anguleuse – devint à la mode. Les foulards se firent eux-mêmes plus grands et plus audacieux, se présentant désormais sous la forme de grands carrés de couleur vive aux motifs frappants. Ces foulards d'« executive woman », soigneusement pliés en triangle, se portaient autour du cou et se nouaient sur le devant ou dans la nuque. Dans la rue, la mode, fortement influencée par Madonna, était au foulard enroulé autour de la tête et noué dans les cheveux.

Il est difficile d'associer les années 1990 et la première décennie du XXIe siècle à un style clairement défini. Le vintage étant de plus en plus dans l'air du temps, les foulards ont eu tendance à dénoter une nostalgie des époques précédentes, sans qu'aucune ne soit vraiment privilégiée. Le look est devenu éclectique, chacun cherchant surtout à personnaliser son style. Dans ce contexte composite, les foulards et carrés de soie vintage séduisent aujourd'hui tant les inconditionnelles de la mode éprises de créativité que les collectionneurs.

Fabricant inconnu, synthétique, années 1960

Fabricant inconnu, rayonne, années 1930

Fabricant britannique inconnu, synthétique, années 1970

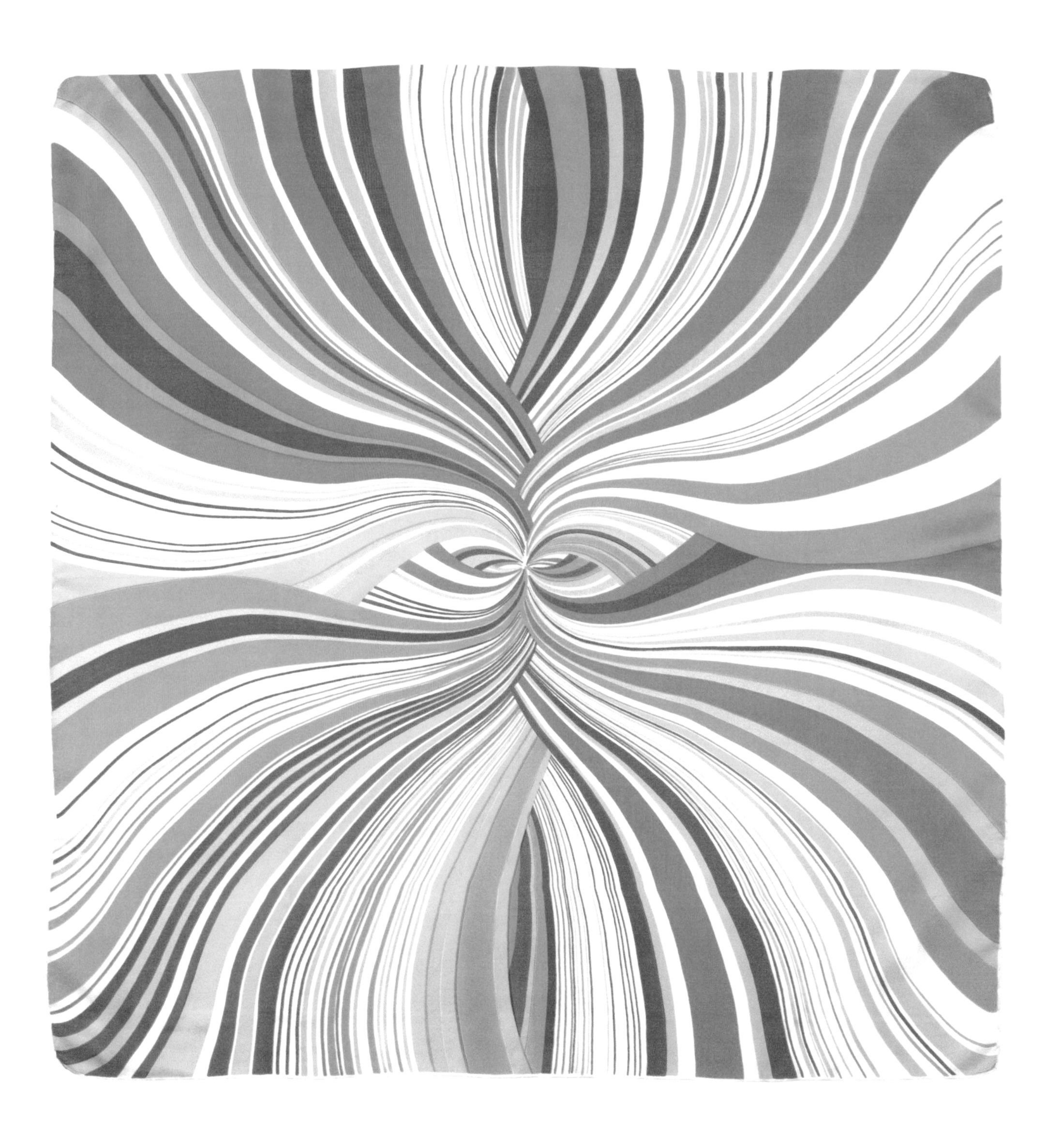

Richard Allan, soie, années 1960

Fabricant britannique inconnu, synthétique, années 1970

Fabricant britannique inconnu, synthétique, années 1960

Jacqmar, soie, années 1950

Lanvin, soie, années 1950

Fabricant inconnu, rayonne, années 1950

Fabricant britannique inconnu, soie, années 1950

Pierre Cardin, « Jeunesse », soie, années 1970

Liberty, soie, années 1950

Emilio Pucci pour Maersk Line, soie, années 1970

Richard Allan, soie, années 1970

Richel, sergé de soie, années 1970

Jacqmar, soie, années 1960

Arthur Silver pour Liberty, « Hera », soie, 1887, réédité en 1975

Jacques Fath, soie, années 1970

À gauche : fabricant inconnu, soie, années 1920
À droite : fabricant inconnu, mousseline de soie, années 1930

Fabricant britannique inconnu, rayonne, années 1940

Fabricant britannique inconnu, crêpe, années 1950

Fabricant inconnu, rayonne, années 1940

Fabricant inconnu, crêpe, années 1940

Fabricant américain inconnu, soie, années 1940

Fabricants inconnus, soie, années 1920

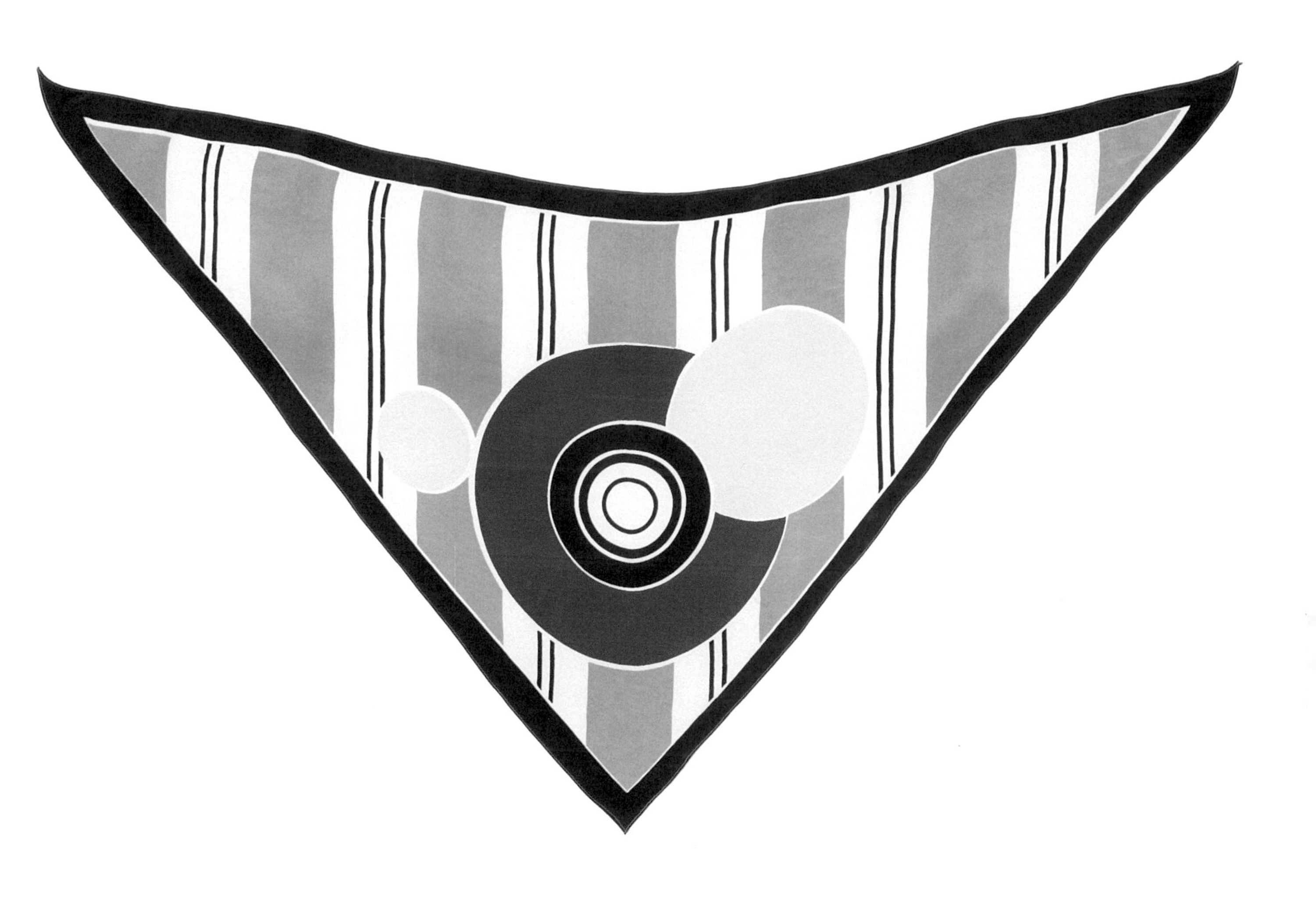

Fabricant inconnu, rayonne, années 1930

Fabricant inconnu, soie, années 1930

Fabricant inconnu, crêpe, années 1940

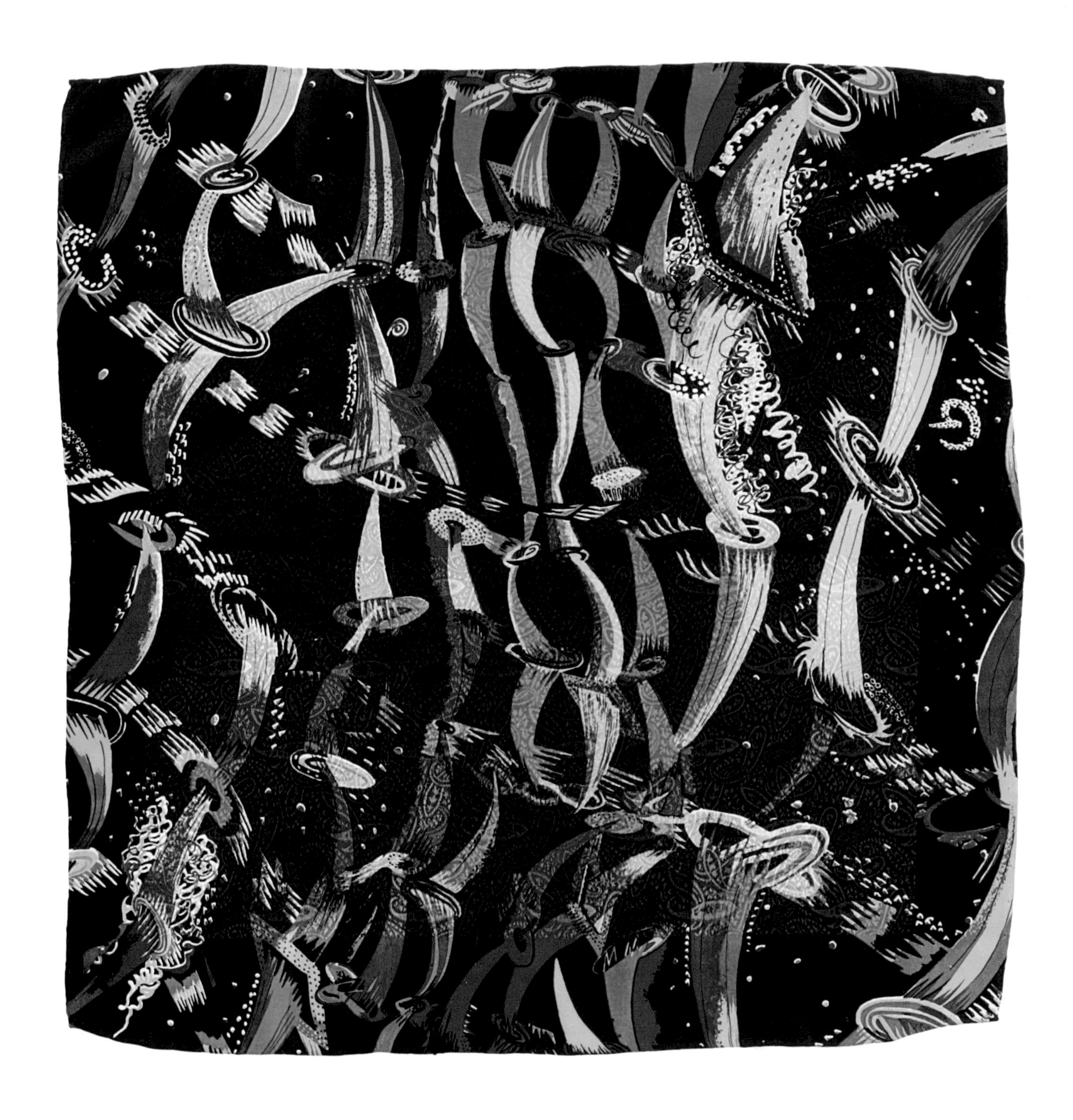

« Rockets », Georgina von Etzdorf, soie jacquard, 1988

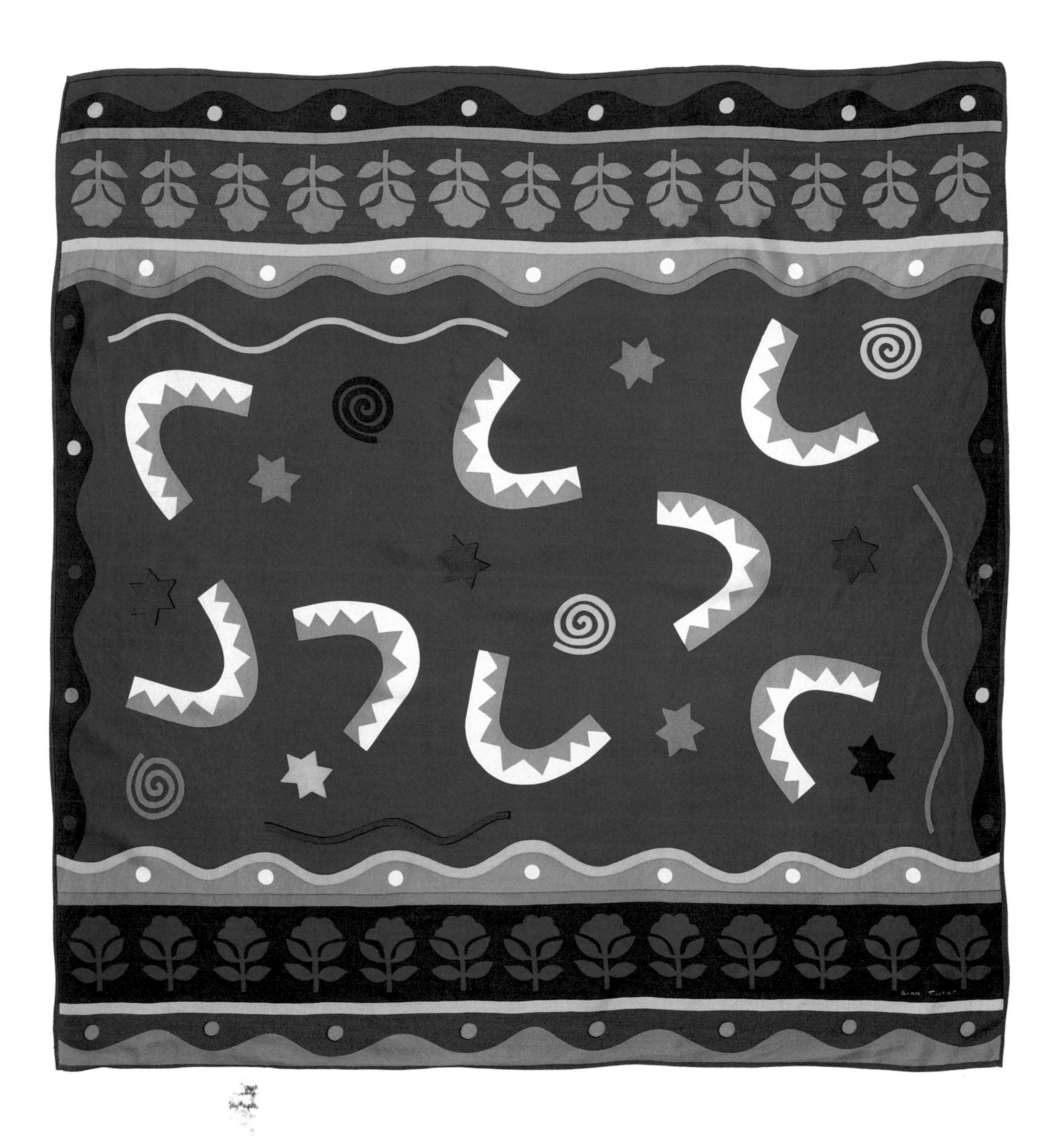

Sian Tucker pour Echo, soie, années 1980

BOATS for HIRE

2

LES CARRÉS D'ARTISTES

Cette page et ci-contre : « Boats for Hire », Julian Trevelyan pour Ascher, crêpe de rayonne, 1946

Depuis le début du XXe siècle, des artistes et des illustrateurs ont pris l'habitude d'utiliser les foulards comme une toile sur laquelle exercer leur talent. Les foulards d'artistes, qu'ils servent de support à une œuvre originale, signée et spécifiquement conçue à cet effet ou simplement à la reproduction sous licence d'un tableau, d'un dessin ou d'un objet créé par un artiste, sont parmi les plus originaux et les plus recherchés par les collectionneurs.

Après la Seconde Guerre mondiale, le marché de l'art souffrant encore de la crise engendrée par le conflit, de nombreux grands peintres et sculpteurs se tournèrent vers la création textile afin de subvenir à leurs besoins financiers. Des artistes comme Henri Matisse ou Pablo Picasso créèrent ainsi des papiers peints, des tissus d'ameublement et des textiles pour l'industrie de la mode. Certains dessinèrent aussi des foulards.

La maison Ascher Ltd fut l'un des premiers fabricants de foulards à travailler en partenariat avec des artistes célèbres. Fondée à Londres en 1942 par deux réfugiés venus de Prague – Zikmund « Zika » Ascher et son épouse Lida –, l'entreprise produisait pour de grandes maisons de couture des tissus coûteux et originaux. Cherchant à revitaliser l'industrie textile européenne affaiblie par la guerre, ses dirigeants eurent l'idée de demander à des artistes célèbres de créer des motifs pour des foulards carrés d'un mètre de côté, qui furent baptisés « carrés d'artistes ». Le projet se précisa au cours des discussions que Zika Ascher eut avec Henri Matisse, qu'il avait contacté dès 1939. La mise au point de techniques d'impression capables de restituer précisément sur tissu le rendu d'œuvres d'art exécutées avec différentes techniques intéressait les deux hommes, mais la Seconde Guerre mondiale mit un frein au projet, et Matisse ne put livrer ses premiers motifs avant 1946. Les décors utilisés par la maison Ascher furent commandés en majorité entre 1943 et 1951 à une cinquantaine d'artistes dont Feliks Topolski, Henry Moore, André Derain, Jean Cocteau, Jean Hugo, John Piper, Ben Nicholson, Cecil Beaton, Barbara Hepworth, Robert MacBryde, Barry Kay et Philippe Jullian. Tous reçurent une somme forfaitaire de 25 £. Zika Ascher les avait appelés les uns après les autres du Café du Rond-Point des Champs-Élysées pour s'assurer de leur participation au projet. Derain aurait apparemment refusé les 25 £ mais accepté à la place un pull en cachemire d'avant-guerre déniché pour lui chez Simpson's of Piccadilly, ce qui n'avait pas dû être une tâche facile car il était grand et corpulent. Le premier foulard à être produit fut celui de Topolski : intitulé « London 1944 », il avait pour décor un bus à impériale rouge transportant des militaires de toutes nationalités.

Les carrés d'artistes de la maison Ascher, en rayonne ou en soie, étaient fabriqués en série limitée. Le nombre d'exemplaires d'un modèle variait de 200 à 600, et chacun était traité comme une véritable estampe. Dans de nombreuses expositions, ces carrés furent présentés encadrés. Ce fut notamment le cas lors de l'exposition proposée en 1946 par le Victoria & Albert Museum à Londres sous le titre « Britain Can Make It », qui eut un formidable impact. Malheureusement, ces carrés ne rencontrèrent pas un grand succès commercial, bien que certains décors aient été réédités dans les années 1950 et de nouveau dans les années 1980. Aujourd'hui, les collectionneurs sont prêts à débourser de grosses sommes pour acquérir ces carrés exceptionnels.

La maison Ascher n'était pas la seule à commander des décors de foulard à des artistes de renom. De nombreuses œuvres d'après-guerre de Topolski furent imprimées sur des foulards de la maison Jacqmar. Des paysages et des animaux imaginés par le peintre français Jean Peltier, qui créait aussi des tissus, furent repris sur des foulards fabriqués par la maison suisse Kreier. À la fin des années 1950 et dans les années 1960, un certain nombre d'artistes et illustrateurs célèbres imaginèrent des décors ou autorisèrent la reproduction de leurs œuvres sur des foulards. Ce fut le cas par exemple du peintre italien Ernesto Treccani, qui avait été résistant pendant la Seconde Guerre mondiale. Le peintre français Bernard Buffet produisit à la même époque quelques décors de foulard dans lesquels on retrouvait les caractéristiques de son style pictural avec ses épais traits de fusain, ses hachures croisées et ses touches appuyées. Les sujets de ses décors, tel par exemple l'Arc de Triomphe, étaient typiquement français.

Bien qu'un grand nombre de ces créations d'artistes n'aient eu aucun succès commercial, la pratique consistant à faire appel à des artistes contemporains pour créer des décors textiles fut à l'origine, dans les années 1940 et 1950, d'une tendance plus générale, celle des imprimés « picturaux ». Ce style « artistique » allait rester longtemps à la mode et être réinterprété dans d'innombrables tissus d'ameublement et d'habillement de même que dans des foulards.

« Garbo's Eyes », Cecil Beaton, Beaudesert, laine, 2010

« Imprévisible Jeunesse », Jean Hugo pour Ascher, soie, 1947

Barry Kay pour Ascher, soie, 1947

Artiste inconnu pour St Michael, satin, années 1950

Philippe Jullian pour Ascher, soie, 1947

Philippe Jullian pour Ascher, soie, 1947

Artiste non identifié, soie, années 1950

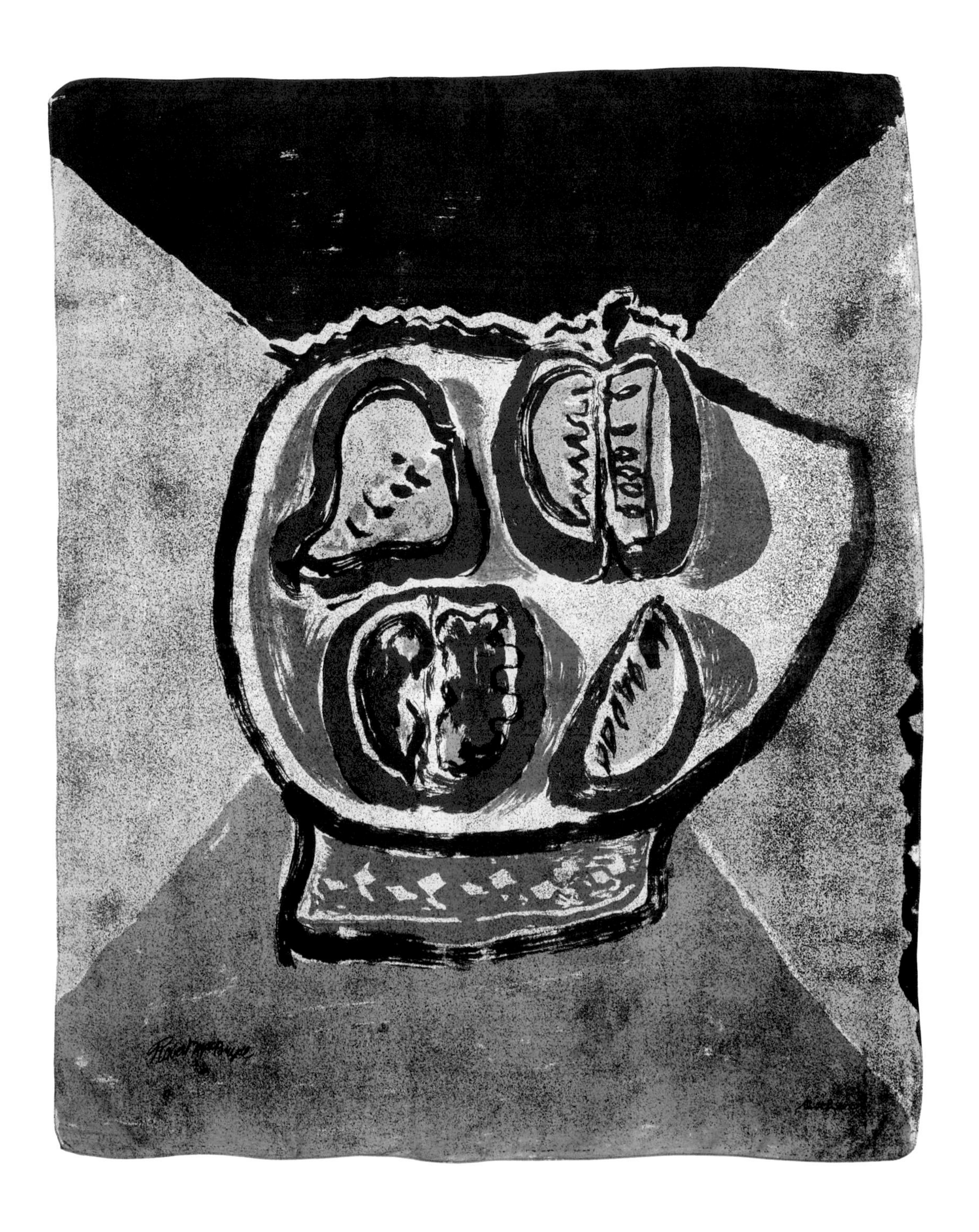

Robert MacBryde pour Ascher, soie, 1947

Bernard Buffet pour un fabricant inconnu, soie, 1959

Bernard Buffet pour un fabricant inconnu, soie, années 1960

Feliks Topolski pour Jacqmar, soie, années 1940

Décor peint à la main par un artiste inconnu pour Jacqmar, soie, années 1950

« Chinese Panorama », Cecil Beaton pour Ascher, soie, années 1940

Cecil Beaton pour Ascher, soie, années 1950

Ci-dessus : artiste inconnu pour Jacqmar, soie, années 1960
Ci-contre : Jean Peltier pour Kreier, soie, années 1960

Foulard représentant un timbre dessiné par Jean Cocteau, artiste inconnu pour Henry à la Pensée, soie, années 1950

Ernesto Treccani pour un fabricant italien inconnu, soie, années 1960

Ken Done pour un fabricant australien inconnu, coton, années 1980

Ken Done pour un fabricant australien inconnu, soie, années 1990

Ci-dessus et ci-contre : lithographie d'Honoré Daumier reproduite par un fabricant français inconnu, soie, début des années 1900

LES CRÉATEURS TEXTILES

Cette page et ci-contre : « Dragons », Georgina von Etzdorf, crêpe de soie, 1984

Rares sont les créateurs textiles à avoir signé de leur nom les modèles qu'ils ont dessinés pour les grands fabricants de foulards. Il faut donc, quand on cherche à collectionner l'œuvre d'un créateur en particulier, apprendre à distinguer ce que son style et sa technique ont de spécifique de manière à pouvoir plus facilement identifier son travail.

L'un des premiers dessinateurs de foulards fut Raoul Dufy, artiste français devenu créateur de tissus inspirés par l'Art nouveau. En 1910, il ouvrit une petite entreprise d'impression de tissus financée par le couturier Paul Poiret, avec qui il travaillait en étroite collaboration. Dufy créa des tissus exquis pour les somptueux manteaux du soir de Poiret, utilisant souvent l'imprimé monochrome rose caractéristique de sa production. Ensemble, les deux hommes mirent au point de nouvelles techniques, imprimant à la main des foulards élégants destinés à une clientèle privilégiée. À partir de 1912, quand prit fin sa collaboration avec Poiret, Dufy travailla en exclusivité pour la maison Bianchini-Férier, une entreprise de soieries lyonnaise. Il est aujourd'hui quasiment impossible de trouver des foulards créés par lui sans passer par des maisons de vente privées.

Les foulards de Tammis Keefe sont en revanche beaucoup plus faciles à dénicher. Cette créatrice américaine apprit son métier à Los Angeles dans les années 1930. Après avoir travaillé pour un atelier de création textile, elle s'installa à son compte à la fin des années 1940 à New York et réussit à s'attirer la clientèle de maisons comme Lord & Taylor ou Kimbal. Keefe mourut d'un cancer en 1960, mais elle produisit beaucoup au cours de sa brève carrière, et ses créations facilement identifiables, fantaisistes et souvent humoristiques, eurent un grand succès commercial. Ses dessins à base de caricatures d'animaux ou de monuments américains ont été reproduits sur des tabliers, des serviettes de table, des foulards et des mouchoirs. On trouve encore très facilement la plupart de ses décors produits en série, mais ses créations plus sophistiquées sont devenues rares et ont atteint des prix élevés car elles sont très convoitées par les collectionneurs. Ses foulards sont presque toujours signés, bien qu'elle ait utilisé pendant une courte période le pseudonyme de « Peg Thomas » pour des raisons qui restent à ce jour inconnues.

Les foulards de la créatrice textile britannique Georgina von Etzdorf s'inspirent de souvenirs de son enfance au Pérou. Diplômée de la Camberwell School of Art dans les années 1970, elle fonda sa propre entreprise en 1981 à Salisbury, dans le Wiltshire, avec Martin Simcock et Jonathan Docherty. L'une de ses premières créations fut un foulard en mousseline de soie intitulé « Star Wars », dont le décor d'étoiles filantes avait de douces couleurs pastel. Ce foulard parut en couverture de l'édition britannique de *Vogue* en juin 1982. Au cours des années suivantes, von Etzdorf commença à utiliser de nouvelles techniques d'impression manuelle, privilégiant des tissus tels que la mousseline, le sergé de soie et surtout le velours, qui revint en force dans les défilés de mode en 1985. Cette année-là, elle adopta – tout d'abord sur velours – la technique du dévoré, un procédé d'impression consistant à brûler (« dévorer ») avec une substance chimique certains poils du tissu de manière à faire apparaître les motifs en relief. Ces décors en velours dévoré devinrent la grande caractéristique des collections de châles et foulards von Etzdorf, qui se vendaient dans le monde entier. Même la princesse Diana emporta dans ses bagages, lors de son voyage de noces, des foulards en velours dévoré de Georgina von Etzdorf.

Helen David, qui avait elle aussi étudié à la Camberwell School of Art, fonda sa propre société au début des années 1980, époque à laquelle émergèrent de nombreux ateliers novateurs de création textile. Elle choisit de lui donner pour nom le titre du best-seller d'Edith Sitwell publié en 1933, *English Eccentrics* (« Les Excentriques anglais »). Helen David rencontra beaucoup de succès avec ses imprimés historiques qui, composés d'images empruntées à la Renaissance, à l'ère élisabéthaine ou au baroque, sont facilement identifiables. Ses foulards en sergé de soie et en crêpe georgette produits entre la fin des années 1980 et le début des années 1990 portent généralement la date de leur création inscrite dans un cercle.

C'est tout juste diplômé du Royal College of Art, en 1979, que le couple formé par Sue Timney et Grahame Fowler ouvrit son entreprise de création textile, Timney Fowler. Les décors de leurs tissus, généralement monochromes et teintés d'un humour subtil, puisaient largement dans l'histoire, la photographie, le classicisme ou la mythologie. Après s'être essentiellement consacrés à la création de tissus d'ameublement, ils se diversifièrent à la fin des années 1980, créant une série de foulards et autres accessoires dans lesquels on retrouve un large éventail de motifs – avec une prédilection pour les cadrans d'horloge – dans une palette de couleurs assez restreinte.

Zandra Rhodes, créatrice anglaise très populaire dans les années 1970, est elle aussi diplômée du Royal College of Art. Ses décors élaborés doivent beaucoup aux nombreux carnets de croquis qu'elle remplissait au cours de ses voyages et dans lesquels les colliers de chien et les épingles de sûreté perlées des punks côtoient allègrement larmes et coquillages. Rhodes sérigraphiait à la main, sur des foulards en mousseline, en tulle ou en soie, des motifs répétitifs, des coquillages ou des zigzags irréguliers, dans des couleurs s'inspirant des années 1930. Ces foulards étaient destinés à accompagner les robes de sa création.

Dans les années 1950 et 1960, Althea McNish créa des modèles pour un grand nombre de fabricants de foulards britanniques et américains de renom comme Liberty, Jacqmar, Ascher, Richard Allan et Vera. Originaire de Trinité-et-Tobago et arrivée à Londres dans les années 1950, elle fut l'une des premières créatrices textiles britanniques de couleur. Après avoir obtenu le diplôme du Royal College of Art en 1957, elle réalisa pour Liberty ses premières créations en tant que professionnelle. Immédiatement après, elle commença à travailler pour Zika Ascher qui, par son enthousiasme, eut sur elle une influence stimulante. McNish créa pour l'industrie textile de l'après-guerre de grandes compositions florales très colorées, d'inspiration caribéenne. Comme de nombreux autres créateurs textiles, elle ne vit jamais son nom mentionné sur ses créations.

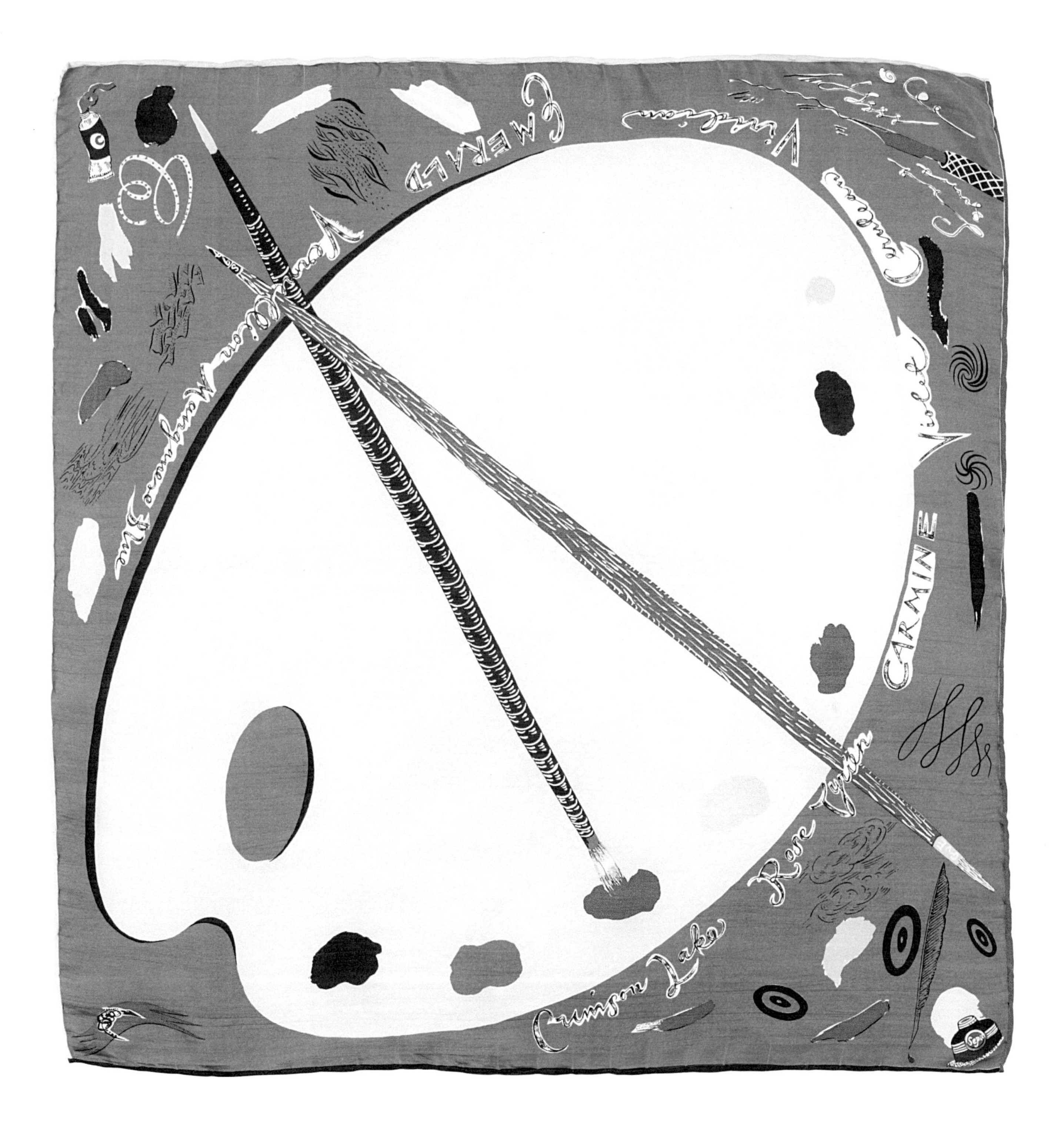

Ci-dessus : « Vermillion », Georgina von Etzdorf, sergé de soie, 1997
Ci-contre : « Star Wars », Georgina von Etzdorf, mousseline de soie, 1981

Zandra Rhodes, soie, années 1980

Zandra Rhodes, soie, années 1980

Pat Albeck pour le National Trust, soie, années 1970

Zandra Rhodes pour Jacqmar, soie, années 1970

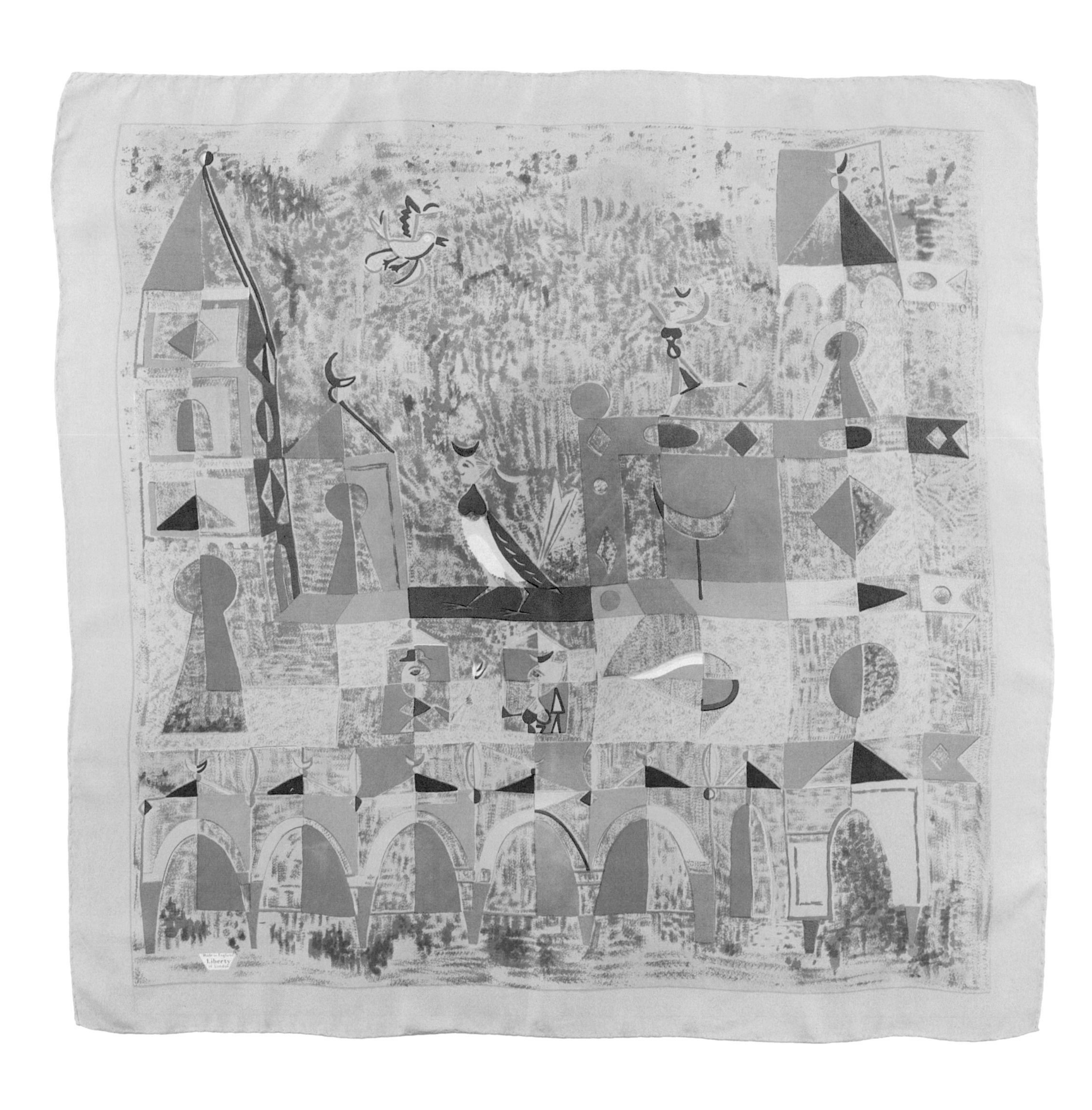

Robert Stewart pour Liberty, soie, années 1950

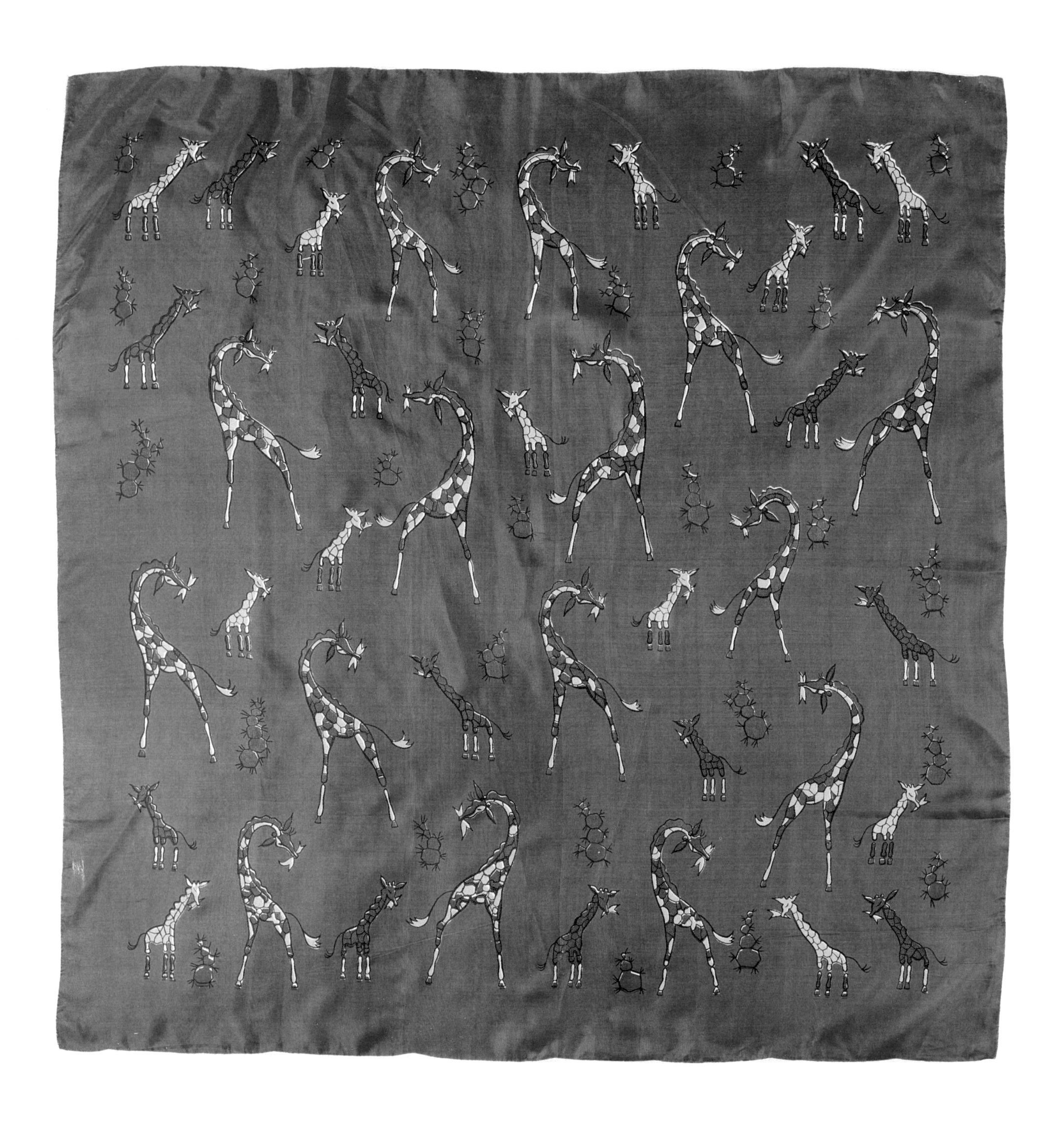

Créateur américain inconnu pour Kimbal, soie, années 1950

« La Chevauchée », Raoul Dufy pour Bianchini-Férier, soie, années 1920, réédité dans les années 1980

Tamara Salman pour Tie Rack, soie, années 1990

Althea McNish pour Liberty, soie, 1959

Créateur inconnu pour Liberty, soie, années 1950

English Eccentrics, georgette de soie, 1997

« Girl Guides », Timney Fowler, soie, 1990

Tammis Keefe (sous le pseudonyme de « Peg Thomas ») pour un fabricant inconnu, soie, années 1950

Tammis Keefe pour un fabricant inconnu, soie, années 1950

Richard Allan

4
LES GRANDS FABRICANTS

Cette page et ci-contre : Richard Allan, soie, années 1970

Le succès grandissant que connut le foulard autour des années 1950 incita un certain nombre d'entreprises à se spécialiser dans sa fabrication.

Echo, qu'Edgar C. Hyman fonda le jour de son mariage en 1923, est la plus ancienne fabrique de foulards et d'accessoires des États-Unis. Pendant la Seconde Guerre mondiale, elle devint célèbre pour ses foulards de propagande. Cette entreprise, nommée à l'origine Echo Scarfs, fut l'une des premières maisons américaines à imprimer son nom (formé à partir des initiales du fondateur) sur ses foulards. Elle continue aujourd'hui d'employer l'ancien pluriel du mot foulard en anglais – « scarfs » – pour bien montrer qu'elle s'inscrit dans une longue tradition. Désormais connue sous le nom d'Echo Design Group, elle conserve dans ses archives des dessins inestimables, et fabrique des foulards sous licence pour de nombreux musées, sociétés et maisons de mode du monde entier.

Vera est une autre grande marque américaine de foulards. Elle a été fondée par Vera Neumann, créatrice textile renommée pour ses foulards, ses serviettes de table et ses tabliers ornés de compositions florales de couleurs vives. Après des études d'art à New York, elle créa avec son époux, en 1945, la fabrique de tissus Printex, installée dans un loft de Manhattan. Elle avait décidé de tirer parti de la grande quantité de soie inutilisée – provenant des stocks constitués pendant la guerre pour confectionner des parachutes – en créant des foulards. Vera Neumann fut l'une des premières parmi les créateurs textiles américains à signer ses foulards : c'est en 1947 qu'un petit « Vera » fut pour la première fois apposé, en guise de signature, sur toutes ses créations, complété peu de temps après par le logo de la maison, une coccinelle. La combinaison de la signature et du logo évolua au fil des décennies, ce qui permet de dater et d'authentifier ses foulards. Contrairement à de nombreux autres créateurs textiles de l'époque, Vera Neumann eut la bonne idée de protéger ses œuvres par un copyright et de l'indiquer sur tous ses foulards à partir des années 1950. L'éventail de ses motifs, très variés, s'étend de l'art populaire américain à des figures géométriques plus ou moins complexes. Chaque modèle était produit dans différents coloris, mais aussi systématiquement en noir et blanc, car c'était ce qui se vendait le mieux. Vera Neumann concevait tous ses décors de tissu pour des carrés de 90 cm de côté, et employait une équipe de créateurs pour adapter chacun de ces décors à sa ligne de vêtements.

En Grande-Bretagne, le fabricant de foulards qui dominait le marché au milieu du XXe siècle était la maison Jacqmar, fondée à Londres en 1932 par Joe Lyons, qui choisit d'installer son entreprise à Mayfair, au 16 Grosvenor Street, de manière à attirer une clientèle aisée. Ses foulards, dont la London Season assurait la promotion, furent adoptés par les femmes du monde et les jeunes filles faisant leurs débuts dans la haute société. Les foulards Jacqmar eurent un tel succès qu'on les trouve mentionnés dans diverses œuvres littéraires, notamment dans *Le Chat et les pigeons* d'Agatha Christie et dans le poème de sir John Betjeman intitulé « Quelques chrysanthèmes tardifs » (1954), dans lequel l'auteur rend hommage à un « foulard Jacqmar mauve et vert ».

La maison Jacqmar, qui fabriquait à l'origine des tissus pour les maisons de couture, créa également sa propre ligne de vêtements. Elle employa à cet effet des créateurs en début de carrière – notamment Victor Steibel, Digby Morton, Bianca Mosca (qui avait travaillé auparavant pour Schiaparelli à Paris) et, par la suite, Jean

« Bauhaus », Susan Collier pour Liberty, soie, 1969

Muir –, mais fit aussi appel aux services de nombreux créateurs free-lance dont les modèles ne furent jamais signés. Pendant la Seconde Guerre mondiale, la maison Jacqmar utilisa des chutes de vêtements pour fabriquer les foulards qui allaient faire sa réputation. Afin de remonter le moral de la population, elle produisit toute une gamme de foulards de propagande en rayonne et en toile à sac en raison du rationnement de la soie. On doit à Arnold Lever, le directeur de la création, de nombreux foulards parmi les plus imagés et les plus humoristiques de la maison, y compris le plus célèbre de tous, « The London Wall ». Lever, contraint de rejoindre la Royal Air Force pendant la guerre, ne reprit son activité qu'en 1947, date à laquelle il fonda son propre atelier de création textile.

À la fin des années 1950, la maison Jacqmar fut rachetée par un de ses employés, Richard Allan, dont elle prit le nom. Ses nouvelles créations reflétaient la légèreté et les formes stylisées à la mode dans les années 1960 et 1970. Richard Allan créa un grand nombre de décors ingénieux dans lesquels se cache parfois un thème qu'on ne peut découvrir qu'à une certaine distance. À la fin des années 1980, la maison fut une nouvelle fois rachetée, par la fabrique de sacs et d'accessoires Jane Shilton, qui a maintenu la production de foulards.

Une autre grande maison britannique connue pour ses foulards, Liberty, fut fondée en 1875 par Arthur Lasenby Liberty, qui avait auparavant travaillé au rayon oriental du grand magasin de châles et de manteaux Farmers & Rogers, situé sur Regent Street. Liberty n'était pas un créateur mais un homme d'affaires accompli, qui avait le don de déceler le talent et de pressentir les nouvelles tendances. Il ouvrit son propre magasin d'articles orientaux de l'autre côté de Regent Street, profitant de l'engouement pour tout ce qui était japonais et du succès que rencontrait le châle cachemire chez Farmers & Rogers.

À la fin des années 1880, le célèbre Silver Studio livra à Liberty ses créations textiles d'inspiration Art nouveau, dont le fameux décor à plumes de paon connu sous le nom de « Héra ». Dans les années 1920, Liberty commença à sortir un modèle exclusif par an. Pendant toute la période Art déco, dans les années 1920 et 1930, la maison fabriqua des foulards aux décors inspirés de l'Égypte et de l'Orient, répondant ainsi à la mode tenace de l'exotisme. Les foulards en soie à décor cachemire – un des grands classiques de la maison –, souvent imprimés à la main, n'étaient produits qu'en nombre limité. La plupart des tissus et foulards Liberty étaient imprimés à la main, d'où leur prix : ils étaient en général deux fois plus chers que ceux imprimés mécaniquement. Pendant la guerre, Jacqmar utilisa l'atelier d'impression de la maison Liberty, situé à Merton, pour fabriquer ses foulards de propagande.

Dans les années 1950, Liberty commença à diffuser chaque saison un catalogue dédié exclusivement aux foulards. C'est à cette époque qu'ils eurent le plus de succès. Sous l'impulsion de Robert Stewart, un des principaux créateurs de la maison dans ces années-là, la production commença à considérablement se diversifier, offrant le choix entre des imprimés figuratifs, des imprimés à fleurs eux-mêmes extrêmement variés et des décors inspirés du surréalisme ou de la bande dessinée. Carnaby Street était l'endroit où se manifesta le plus clairement, à Londres, l'explosion des années 1960, et le magasin Liberty, installé juste au coin de la rue, mit évidemment au point une stratégie visant à séduire la jeunesse en effervescence. La maison fit appel au talent de coloriste de Bernard Neville, le chargeant de mettre au goût du jour un grand nombre de modèles traditionnels. S'inspirant de l'Art déco, qui faisait alors un retour en force, celui-ci introduisit dans la collection des couleurs éclatantes et d'audacieux dessins géométriques. Aujourd'hui, Liberty continue à servir de vitrine aux jeunes créateurs textiles sortis des grandes écoles d'art et de mode londoniennes : les foulards occupent un tiers du rez-de-chaussée de son magasin phare à Londres, qui a accueilli au fil des années plusieurs expositions de foulards.

Parmi les entreprises britanniques spécialisées dans la fabrication de foulards, Tie Rack est une société d'accessoires dont les foulards bon marché sont vendus par milliers dans le monde. Fondée par le détaillant Roy Bishko en 1981, elle contribue à lancer un grand nombre de jeunes créateurs textiles en commandant aux étudiants en art et en création textile des foulards pour sa collection « Young British Designers ».

L'industrie textile britannique comprend aussi un certain nombre de fabriques de foulards régionales aux méthodes de travail traditionnelles. Citons, par exemple, Beckford Silk, une petite entreprise familiale de Tewkesbury (comté de Gloucester), au sein de laquelle on imprime à la main, depuis 1975, des foulards de soie destinés à des institutions officielles comme le National Trust ainsi qu'à des musées et des galeries d'art. Macclesfield Silk est un label que l'on retrouve souvent sur les foulards vintage. Il indique qu'ils ont été produits par l'une ou l'autre des fabriques de Macclesfield (Cheshire) regroupées sous ce nom, célèbres dans les années 1930 et 1940 pour leur fabrication traditionnelle de pochettes et de foulards de soie. Deux autres fabriques de foulards aux méthodes traditionnelles, Thirkell of Bond Street et Clifford Bond, bien que n'étant plus en activité aujourd'hui, sont représentatives d'une création typiquement britannique.

En Italie, la région qui s'étend autour du lac de Côme, au nord de Milan, est historiquement connue pour ses soieries. Les foulards aux décors les plus intéressants proviennent de sociétés telles que Salterio, Bayron ou Larisa, qui ont fabriqué de nombreux foulards pour la maison de couture Moschino. En France, la maison Bianchini-Férier, fondée à Lyon en 1888, est connue pour sa grande inventivité et les magnifiques tissus qu'elle produit pour les maisons de couture les plus prestigieuses du monde entier. En Suisse, les foulards les plus recherchés par les collectionneurs sont ceux de Kreier, dont la grande spécialité est le décor figuratif autour de thèmes comme le nautisme, l'automobile ou les animaux.

La fabrique de soie Jim Thompson, basée en Thaïlande, a été fondée dans les années 1950 par James H. W. Thompson, un entrepreneur américain décidé à revitaliser l'industrie thaïlandaise de la soie alors en plein déclin. Aujourd'hui, l'entreprise est connue pour ses textiles et foulards de soie absolument uniques. Tissés à la main, ils ont des décors exotiques qui, s'inspirant de la flore et de la faune tropicales, sont exécutés dans des couleurs éclatantes.

La plupart des maisons spécialisées dans la fabrication de foulards ont malheureusement aujourd'hui disparu. Au cours de la seconde moitié du XXᵉ siècle, porter un foulard cessa d'être une question d'étiquette en Occident, et le foulard devint de ce fait un simple accessoire de mode. Dès lors, les fabricants de foulards qui continuèrent à prospérer furent ceux qui commercialisèrent leurs foulards avec d'autres articles de mode et réussirent à faire de leur nom une marque de luxe.

Liberty, soie, années 1930

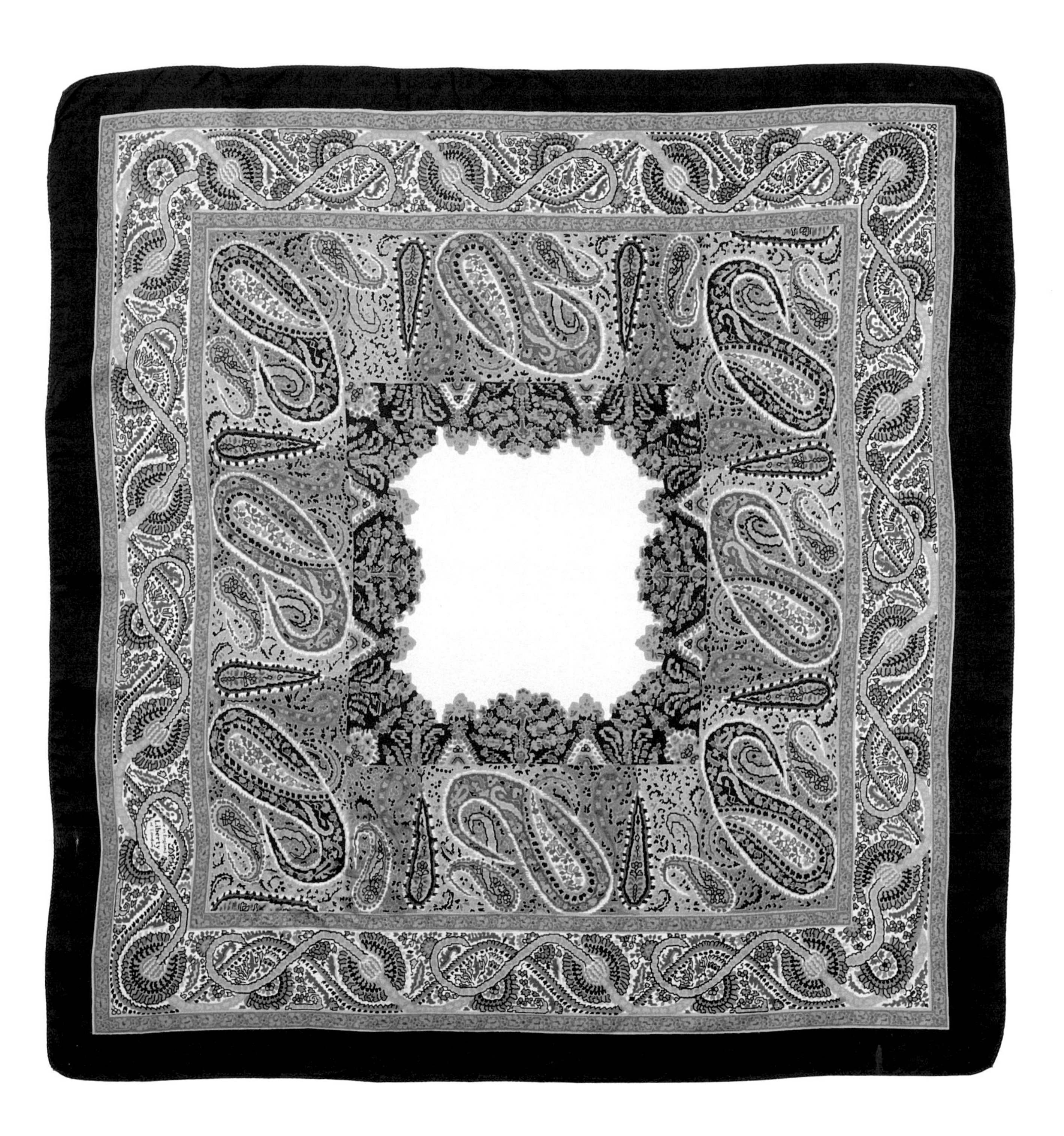

Foulard avec un espace vide destiné à recevoir un message imprimé sur commande, Liberty, soie, années 1930

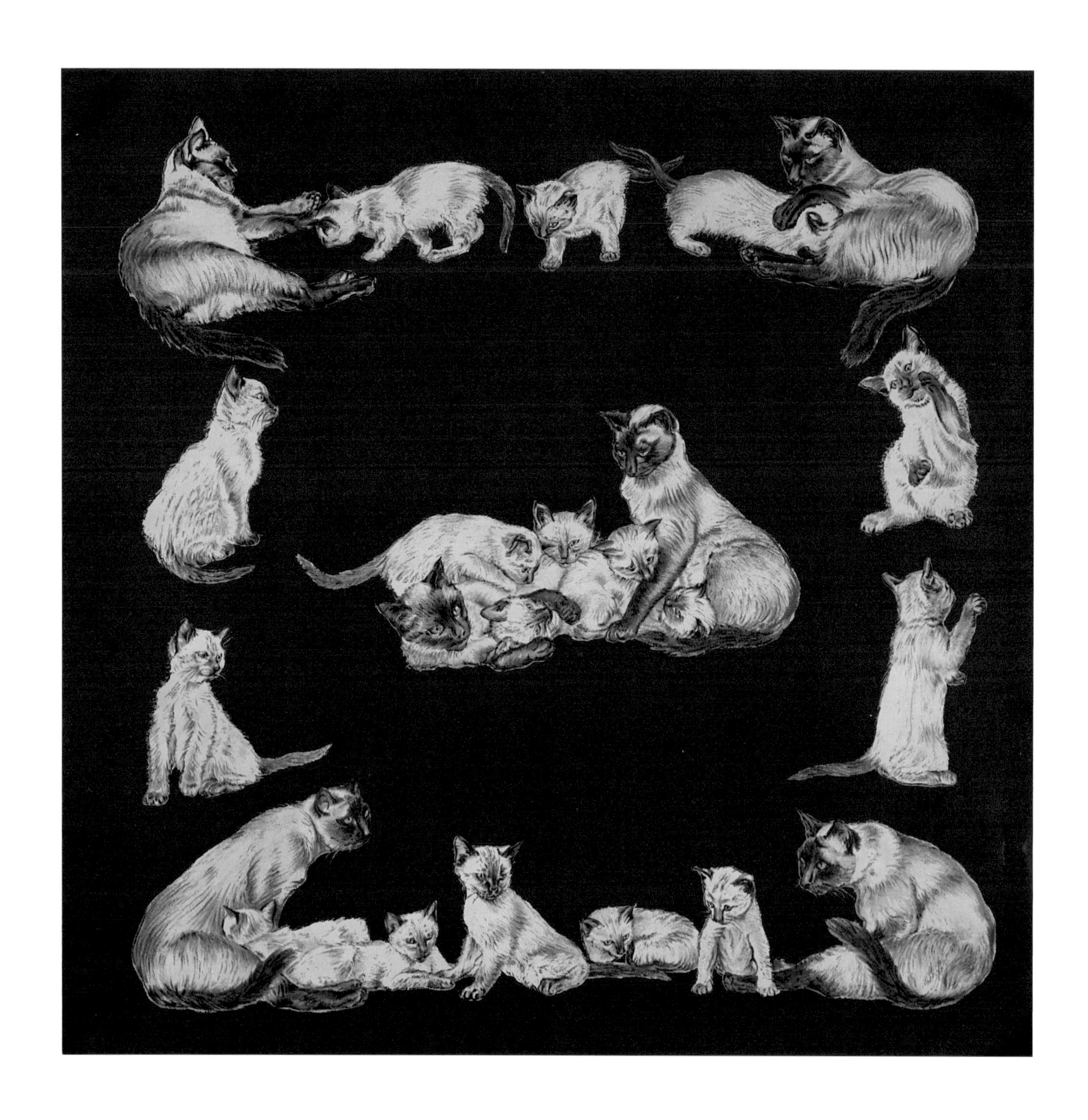

Kreier, soie, années 1940

« Persans », Pierre Bacarra, soie, années 1960

Clifford Bond, soie, années 1960

Richard Allan, soie, années 1970

« Spools », Echo, soie, années 1970

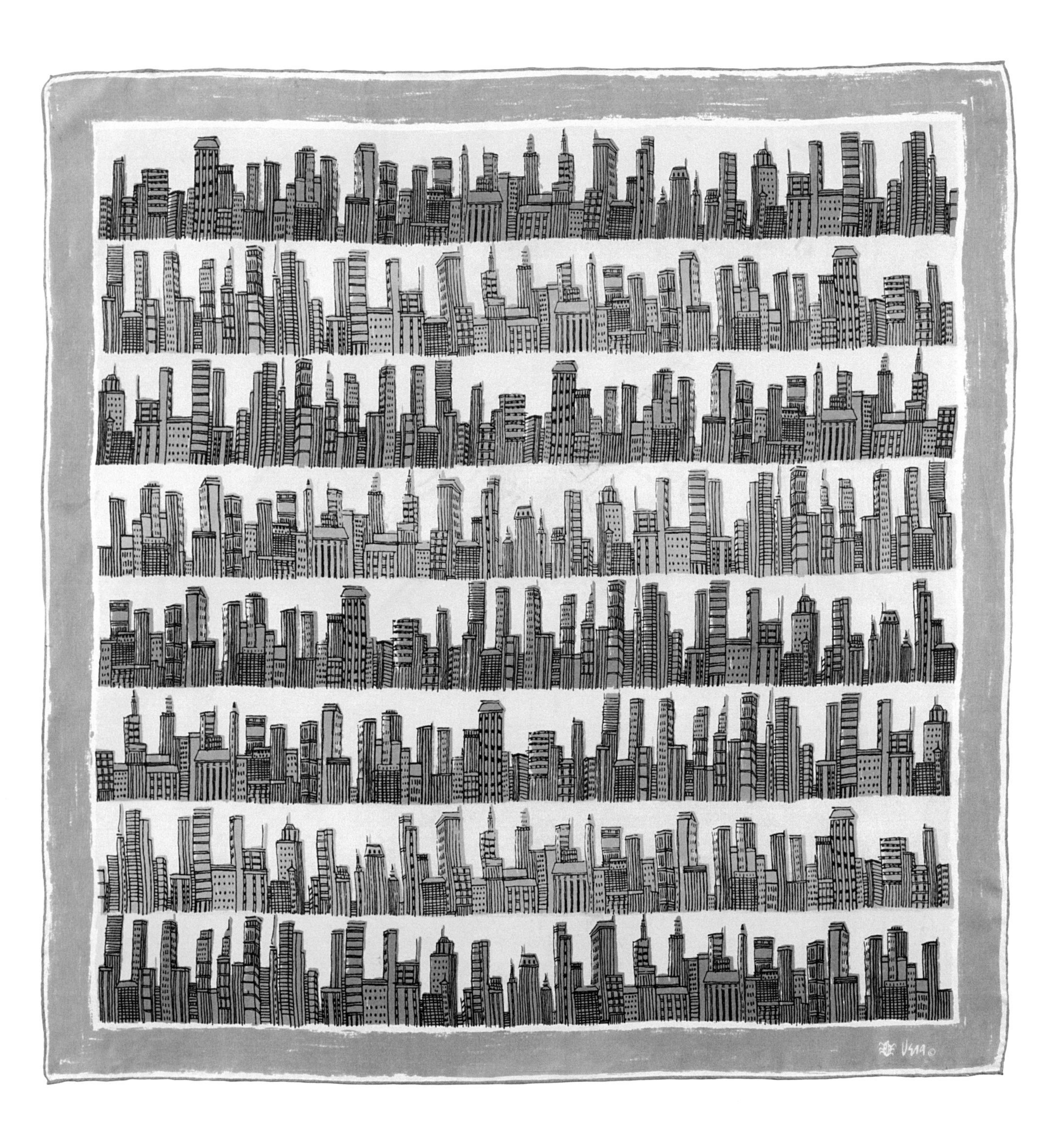

Vera, soie, années 1950

Jacqmar, soie, années 1950

« Mt Kilimanjaro », Jim Thompson, soie, 1986

Thirkell of Bond Street, satin de soie, années 1950

« 16 Grosvenor Street » (adresse de la maison Jacqmar), Jacqmar, soie, années 1950

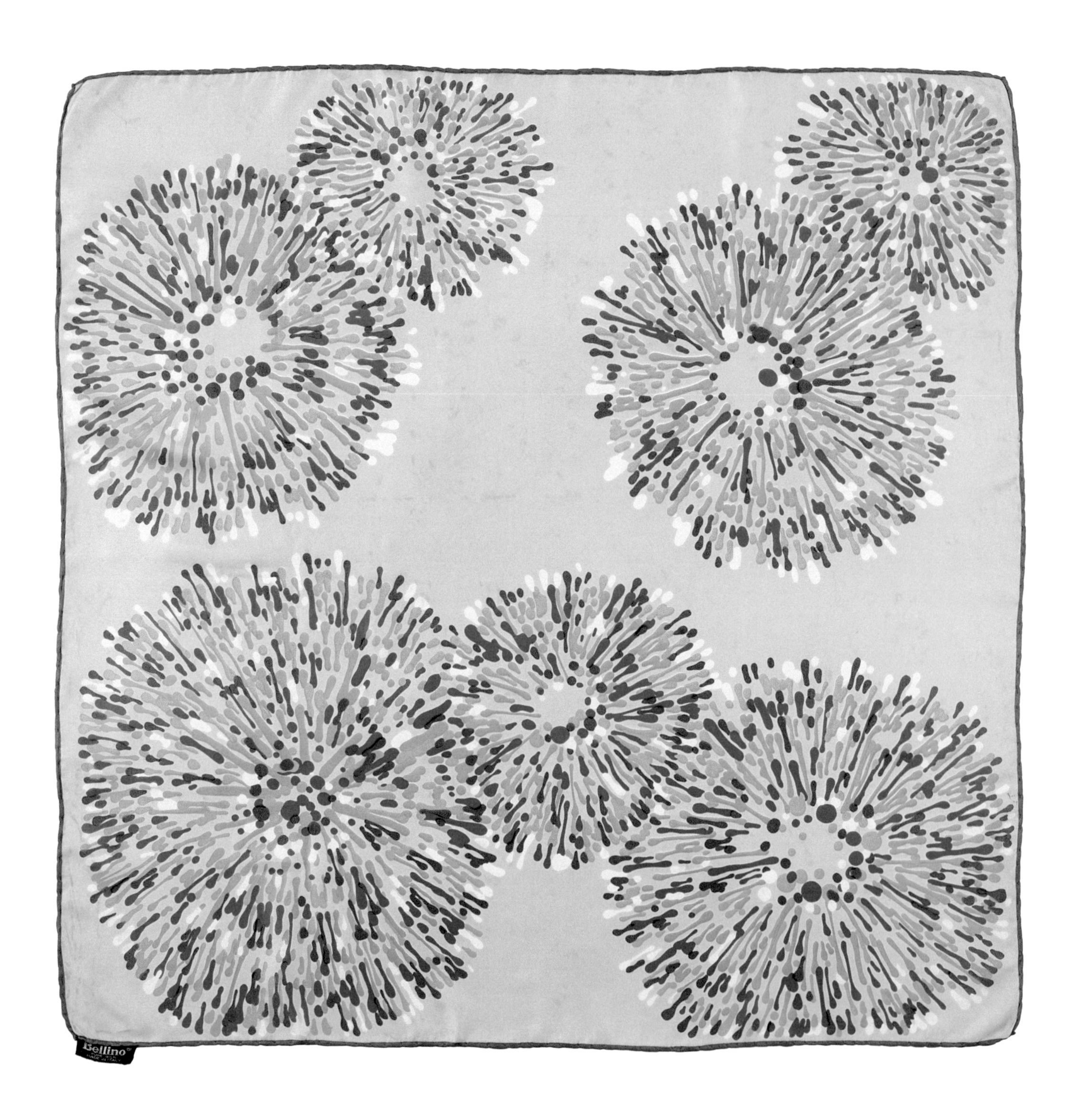

Bellino, soie, années 1960

Liberty, soie, années 1950, peut-être inspiré d'un tissu créé par Harry Napper dans les années 1890

« The Angler's Companion », fabricant britannique inconnu (Macclesfield, Grande-Bretagne), soie, années 1940

Dessin attribué à Arnold Lever, Jacqmar, lin, années 1940

XC

5

LES MAISONS DE COUTURE

Cette page et ci-contre : Betsey Johnson, sergé de soie, années 1980

Au début du XXe siècle, le foulard devint un accessoire de mode incontournable, et les maisons de couture commencèrent à s'en servir pour promouvoir leur nom. Comme les parfums des grands couturiers, les carrés de soie permirent à des femmes au budget limité de goûter au luxe et au prestige d'une grande marque. La plupart des maisons de couture du XXe siècle ont édité des collections de foulards, mais nous ne nous intéresserons dans ce chapitre qu'à celles dont le nom est véritablement lié à l'histoire de cet accessoire.

L'un des premiers foulards a avoir été créé par un grand couturier fut le fruit d'une collaboration entre le couturier Paul Poiret et l'artiste Raoul Dufy. Les créations de Paul Poiret s'inspiraient des Ballets russes, célèbre compagnie de ballet qui donna sa première représentation à Paris en 1909, et dont les costumes et les décors d'inspiration orientale étaient dessinés par Léon Bakst. Après avoir rencontré en Autriche les créateurs progressistes de la Wiener Werkstätte, Dufy adopta leur méthode, imprimant à la main et juxtaposant des motifs floraux naïfs et des motifs géométriques du type de ceux qu'on associe aujourd'hui au style Art déco.

Au début des années 1920, Elsa Schiaparelli, d'origine italienne, se lança à son tour dans la mode. Ses amis surréalistes Jean Cocteau et Salvador Dalí influencèrent son travail. En 1937, elle créa la « Tear Dress » – robe larme –, assortie d'un foulard et décorée d'un dessin de Dalí en trompe-l'œil. Les foulards édités par sa maison de couture n'étaient pas signés, mais étaient marqués d'une étiquette noire et blanche portant son nom. Connue pour avoir lancé la mode du « rose shocking », elle donna ce nom à une ligne de foulards qu'elle sortit aux États-Unis. Ses créations novatrices eurent moins de succès après la guerre, et en 1954, elle vendit les droits d'exploitation de la marque. Les foulards « Schiaparelli » créés après cette date n'ont pas été dessinés par elle mais ont été fabriqués sous licence.

Le créateur italien Franco Moschino travailla tout d'abord comme illustrateur pour Gianni Versace. C'est en 1983 qu'il ouvrit sa propre maison. Celle-ci eut beaucoup de succès à la fin des années 1980 et dans les années 1990. Son utilisation des slogans devint une des caractéristiques de son style, de même que sa prédilection pour certains emblèmes de l'Italie comme les spaghettis ou le drapeau vert, blanc, rouge. Ses foulards aux couleurs vives ont des décors humoristiques à base de motifs figuratifs, parfois accompagnés de jeux de mots. Dans ses créations les plus anciennes, le nom de Moschino est intégré au décor ; les foulards plus récents, toujours produits aujourd'hui, portent le logo de sa ligne « Cheap and Chic ».

Gianni Versace – chez qui Moschino travailla à ses débuts – n'eut de succès avec ses propres foulards qu'à partir des années 1990, et ceux-ci sont emblématiques de cette période florissante pendant laquelle il fit fortune. S'inspirant de l'univers du théâtre, pour lequel Versace avait créé des costumes, les riches décors de ses foulards intègrent des marbres de Canova, des icônes religieuses russes ou des animaux exotiques. Versace ayant été assassiné en 1997, les foulards produits avant cette date sont devenus des pièces de collection très prisées. Parmi les plus recherchées figurent un portrait d'Elton John et des vues de Miami dans des tons pastel acidulés.

Une autre grande maison italienne connue pour ses foulards est la maison Gucci. Modeste fabrique d'articles en cuir à l'origine, elle fut créée en 1921 à Florence par Guccio Gucci. Jeune homme, celui-ci avait travaillé à Londres comme serveur à l'Hôtel Savoy, où il avait appris à apprécier les bagages bien conçus. Lorsque la maison Gucci n'eut plus à faire ses preuves dans le domaine du bagage, elle se mit à proposer d'autres accessoires de mode, notamment des sacs à main et des foulards, ces derniers étant initialement ornés de motifs empruntés à l'univers de l'équitation. Dans les années 1960, la maison Gucci avait acquis un certain renom et comptait parmi sa clientèle des célébrités comme Jackie Kennedy ou Elizabeth Taylor. C'est en 1966 que le fameux foulard « Flora » fut dessiné pour la princesse Grace de Monaco par Vittorio Accornero. La légende raconte que la princesse s'étant rendu un jour dans la boutique de Milan pour acheter un sac à main, Rodolfo Gucci, un des fils de Guccio, insista pour qu'elle choisisse un cadeau. Elle opta pour un foulard, mais Rodolfo jugeant qu'aucun de ceux présents dans la boutique n'était assez bien pour elle, il demanda à Accornero d'en dessiner un pour le lendemain. Le décor floral multicolore qu'il créa eut un tel succès que la maison changea radicalement le style de ses foulards, abandonnant les motifs traditionnels – trains, voitures ou bateaux – qui en composaient jusque-là le décor. Accornero dessina par la suite pour la maison Gucci de nombreux autres décors de fleurs élaborés, agrémentés parfois de papillons et de coccinelles. Le décor du foulard « Flora » fut réédité dans les années 1980 pour des robes, des sacs et des chaussures.

Le créateur de chaussures Salvatore Ferragamo, né près de Naples en 1898, est connu pour avoir lancé dans les années 1930 la chaussure à plateforme en liège et en 1947 la chaussure « invisible ». C'est à la fin des années 1950 qu'il ajouta pour la première fois des foulards de soie à ses collections, faisant appel pour leurs décors à des créateurs free-lance. Les décors de ses tout premiers foulards sont composés d'animaux ou de monuments italiens. Dans les années 1970, il opta pour des motifs très colorés dans lesquels une flore exotique se mêlait aux animaux de la jungle et de la savane qui sont devenus sa marque de fabrique. Les imprimés les plus demandés furent reproduits sur les doublures en soie de quelques sacs. Dans les collections Ferragamo de la fin des années 1990, des foulards en sergé de soie furent intégrés à des robes d'été et des pantalons larges.

Nina Ricci, une couturière française d'origine italienne célèbre pour ses parfums, ouvrit sa maison en 1932. Marc Lalique, ami d'enfance de son fils Robert et fils du légendaire maître verrier René Lalique, créa les premiers flacons de parfum de la maison Ricci, notamment celui de « L'Air du temps », surmonté de deux colombes représentant l'amour et la tendresse. Sur les foulards Nina Ricci, créés en complément des parfums, on retrouve souvent le motif des deux colombes, dont le style a évolué au fil des ans, les formes douces des années 1950 ayant cédé la place à une stylisation plus conforme au goût du jour.

Les foulards Emilio Pucci sont typiques des années 1960 avec leurs décors psychédéliques et leurs éclatants contrastes de couleurs. Pucci fut découvert par le milieu de la mode grâce à un photographe de magazine qui le représenta dans un fuseau de sa création sur une piste de ski italienne. Les premiers de ses foulards abondamment décorés furent fabriqués en 1949. Leurs décors virevoltants et colorés – empruntés à la photographie sous-marine, autre passion du couturier avec le ski – eurent un tel succès que Pucci fut contraint d'incorporer sa signature dans ses motifs pour empêcher la contrefaçon. Contrairement à d'autres créateurs de mode qui ne considéraient les foulards que comme un complément à leurs collections, Pucci accordait autant d'importance aux imprimés de ses foulards qu'à ceux de ses vêtements.

La créatrice anglaise Mary Quant, dont le nom évoque immanquablement la minijupe et le Londres des années 1960, débuta sa carrière à la fin des années 1950, époque à laquelle elle ouvrit sa première boutique, Bazaar, sur King's Road. Elle fut la première à proposer aux jeunes des vêtements non conventionnels à des prix abordables. D'une grande simplicité et souvent de forme triangulaire, ses foulards en coton se portaient sur la tête et se nouaient, non pas sous le menton comme dans les années 1950, mais dans la nuque. La marguerite stylisée revenant de façon récurrente sur ses foulards devint en quelque sorte l'emblème de la créatrice.

L'Américaine Nicole Miller est une styliste contemporaine dont le travail témoigne d'un intérêt marqué pour les arts plastiques, qu'elle étudia avant de se lancer dans la mode. Ses imprimés colorés répétitifs et ses décors figuratifs monochromes incluent souvent des produits de consommation courante, comme des bouteilles de vodka, des flacons de parfum, des voitures ou des logos de chaînes hôtelières. L'année de création de ses grands foulards en sergé de soie, fabriqués de la fin des années 1980 au début des années 1990, est imprimée directement sur le tissu lui-même.

Un foulard Hermès est un objet très convoité dans le monde entier. Véritable emblème du chic français, ce carré de tissu de 79 gr et 90 cm de côté n'a pas perdu de son pouvoir de séduction près de 75 ans après sa création. La maison Hermès, à l'origine une sellerie produisant des articles en cuir d'une qualité exceptionnelle, fut fondée en 1837. Cent ans plus tard, elle lança sur le marché ses carrés de soie aux motifs empruntés à l'univers de l'équitation et imprimés « à la lyonnaise », une technique d'impression traditionnelle qui consiste à imprimer les couleurs d'un décor les unes après les autres en utilisant un cadre par couleur. Certains décors peuvent nécessiter jusqu'à 42 cadres. La première exclusivité Hermès fut le carré intitulé « Le Jeu des omnibus et dames blanches » créé par Robert Dumas, orné d'omnibus disposés en cercles. L'ourlet roulotté « à la française » est la finition qui distingue le carré Hermès des autres foulards : les bords sont délicatement roulés à l'intérieur, puis cousus à la main. Les carrés Hermès eurent beaucoup de succès auprès de la jet-set dans les années 1950 et 1960, et furent adoptés par les grandes stars de l'époque comme Audrey Hepburn ou Catherine Deneuve. En Grande-Bretagne, le carré Hermès acquit ses lettres de noblesse dans les années 1970 : il est porté par la reine Élisabeth II sur une célèbre photographie qui fut reproduite ensuite sur le timbre anglais de 17 pence.

La maison Hermès n'a jamais cessé d'innover. Son directeur artistique, Pierre-Alexis Dumas, a proposé en 2005 à Bali Barret de devenir la directrice artistique de la collection soie. Depuis lors, les collections soie sont encore plus éclatantes, avec des décors commandés à de célèbres artistes, illustrateurs ou graphistes. Le format du foulard a évolué : au carré de soie classique sont venus s'ajouter entre autres le losange, le triangle, le carré géant et le twilly. De nouveaux matériaux sont constamment testés : du jersey de soie, des mélanges cachemire et soie et même un tissu pour T-shirt ont servi de supports à de nouveaux décors. En 2009, Hermès a sorti une autre nouveauté, le carré surteint, un foulard qui, après avoir reçu par impression un décor classique, est plongé dans un bain de teinture lui donnant l'aspect et le toucher d'un foulard vintage. En 2008, dans le cadre du projet « Hermès Éditeur », la maison eut l'idée de créer en nombre limité des foulards reproduisant des œuvres de Josef Albers. En 2010, pour la seconde édition de ce projet, elle demanda à Daniel Buren de concevoir une série de 365 pièces uniques.

« Le Jeu des omnibus et dames blanches », Hermès, 1937

« Ex-Libris », Hugo Grygkar pour Hermès, 1946

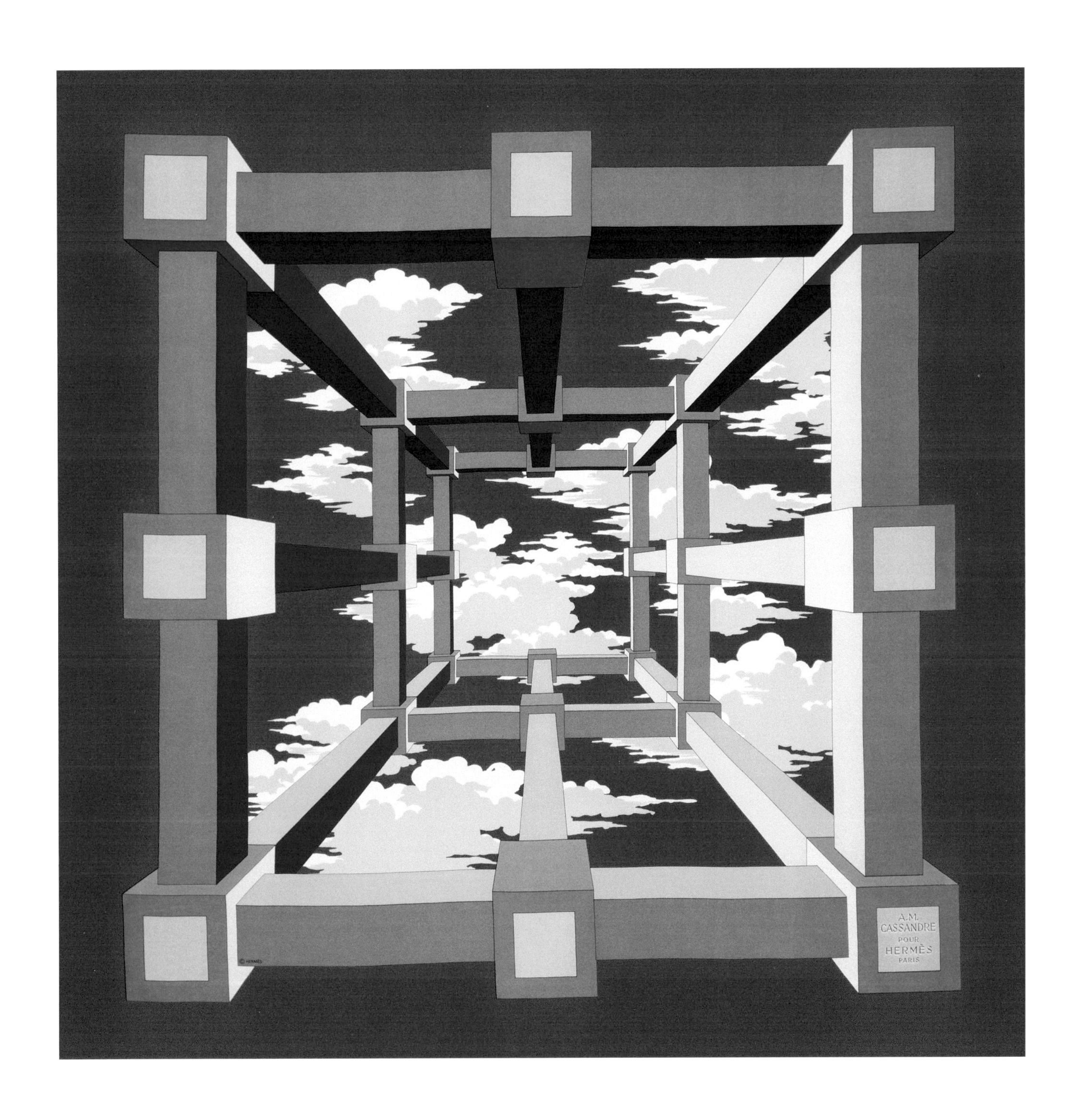

« Perspective », Cassandre pour Hermès, 1951

« Couvertures et tenues de jour », Jacques Eudel pour Hermès, 1962

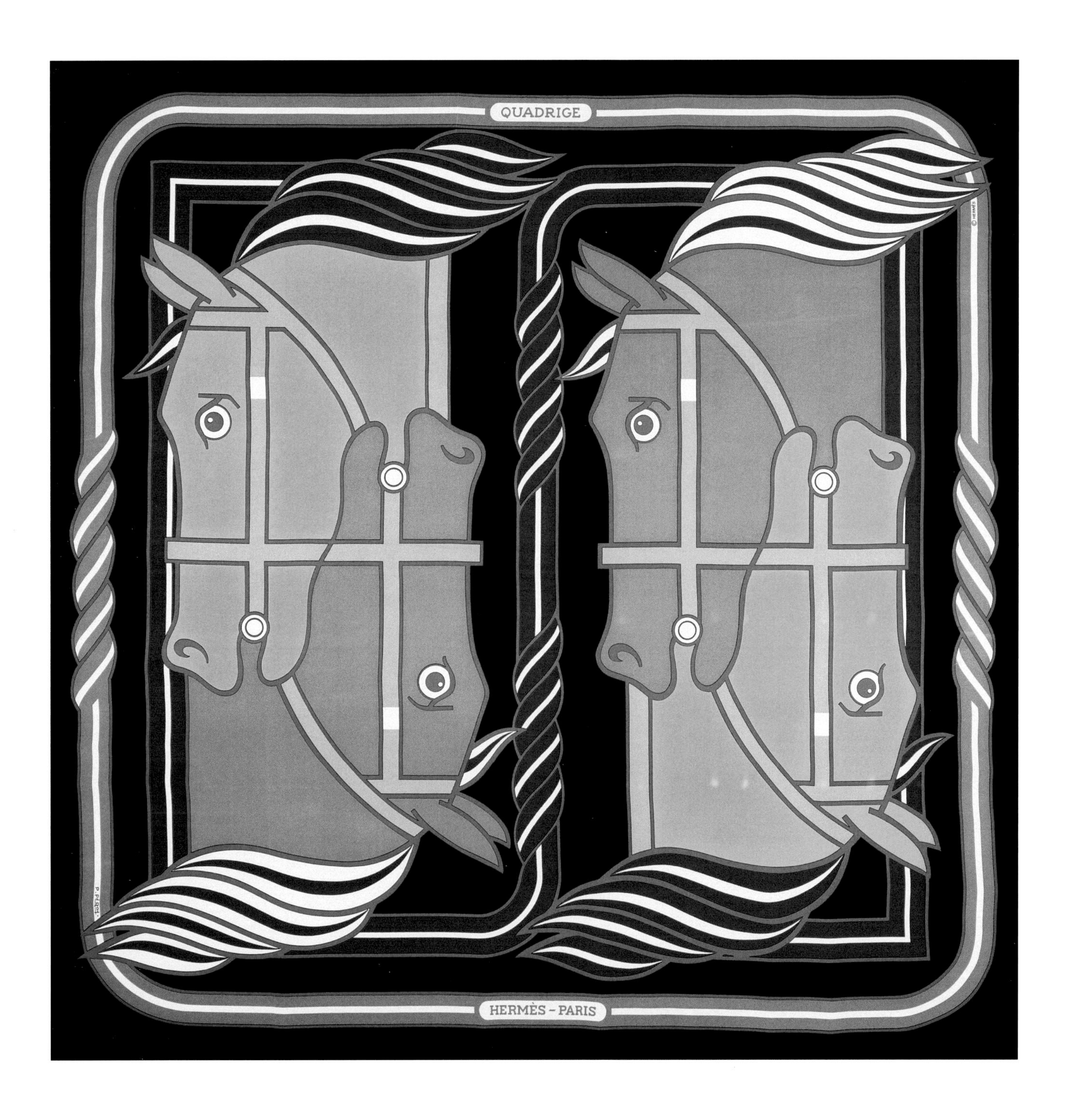

« Quadrige », Pierre Péron pour Hermès, 1973

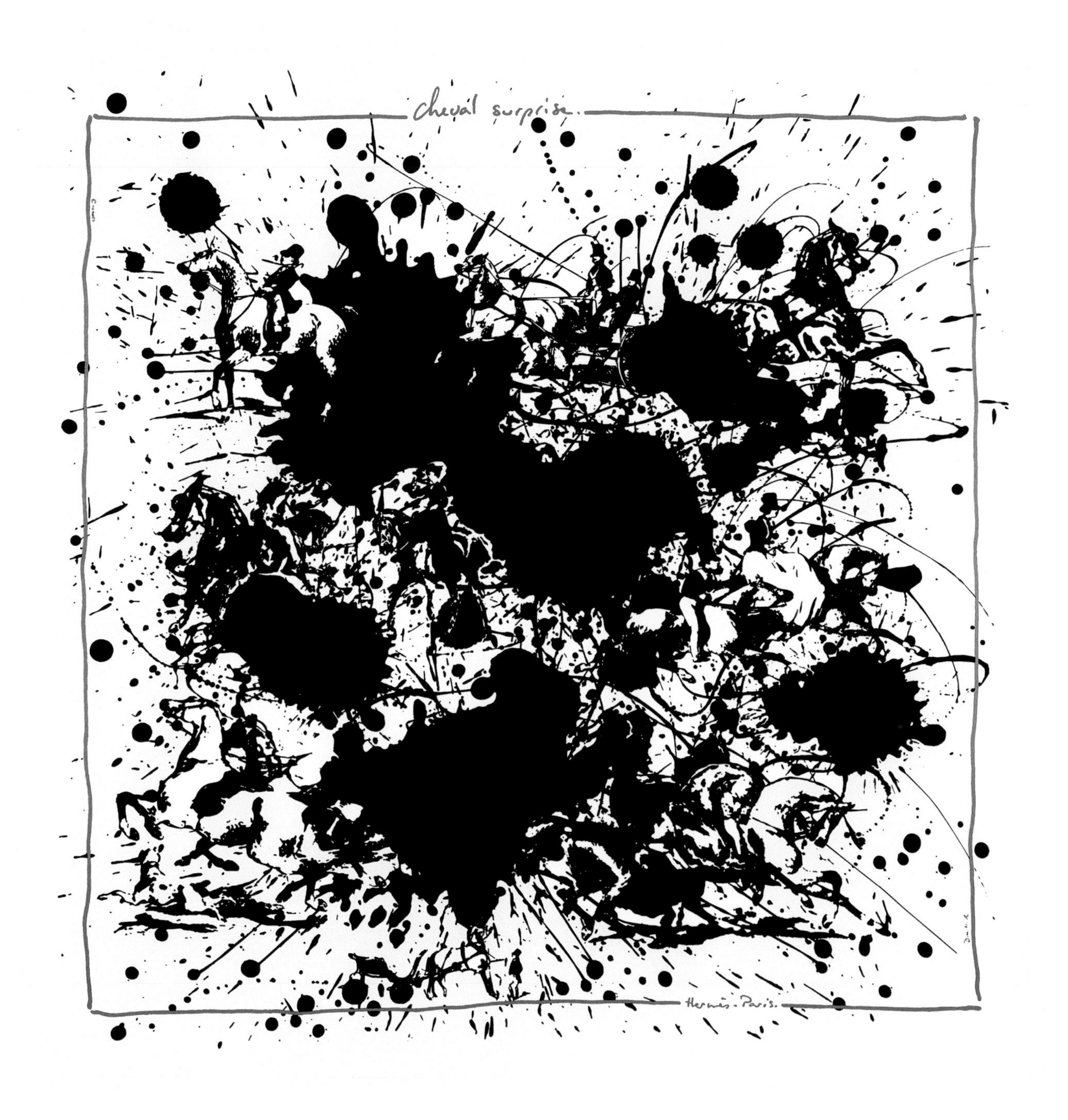

« Cheval surprise », Dimitri Rybaltchenko pour Hermès, 2004

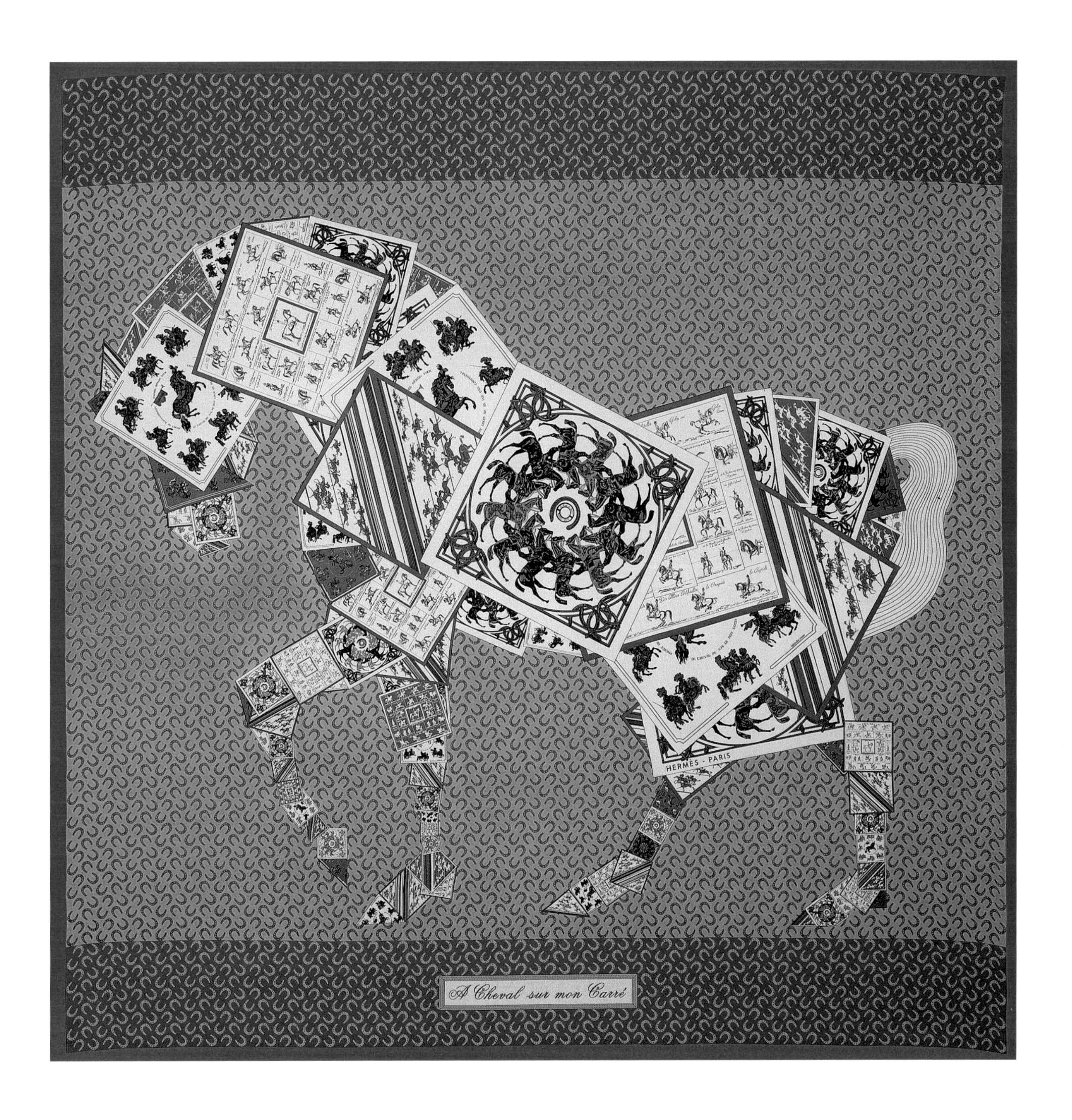

« À Cheval sur mon carré », Bali Barret pour Hermès, 2006

Christian Lacroix, soie, années 1990

Fendi, sergé de soie, années 1990

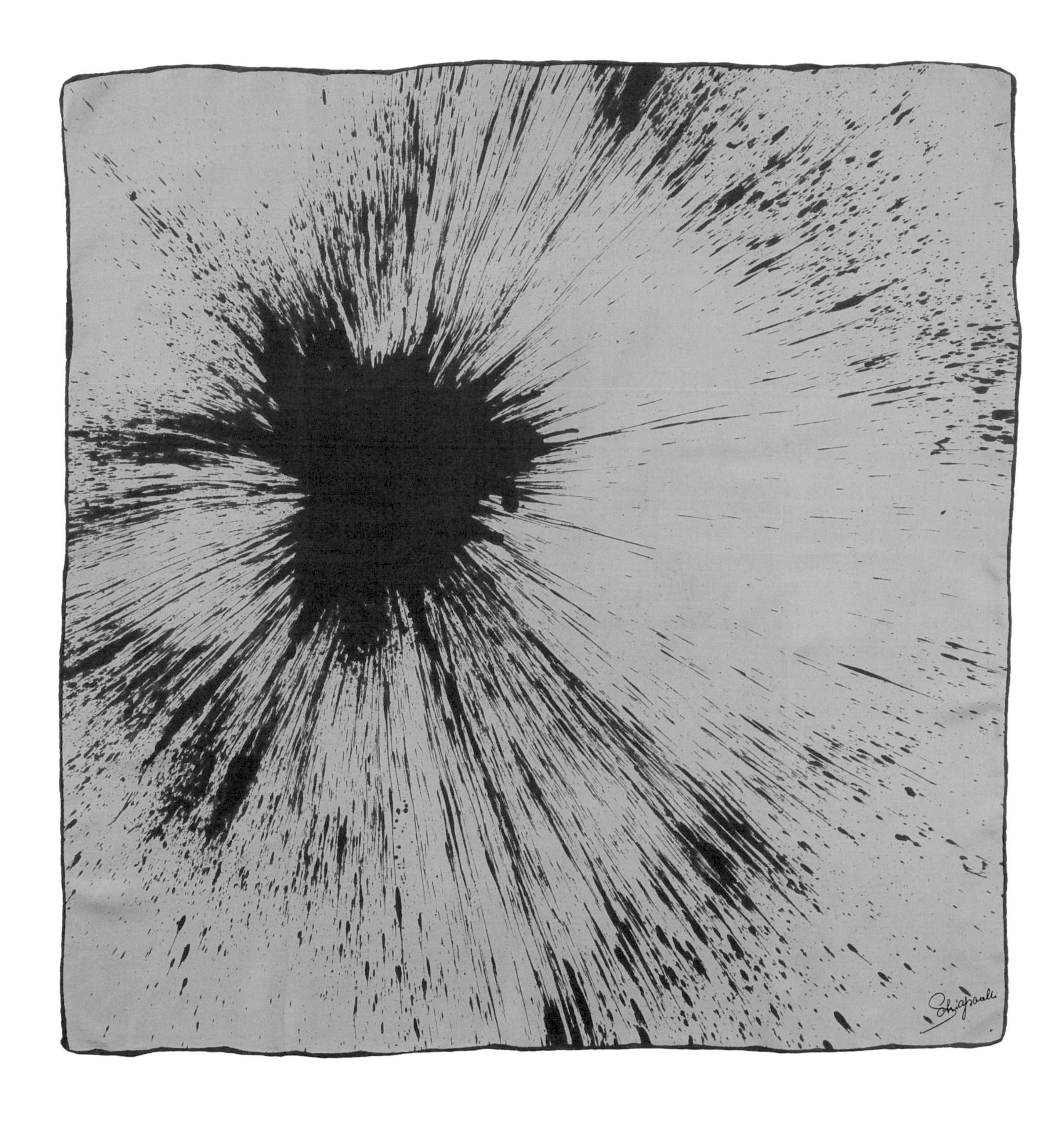

Elsa Schiaparelli, soie, années 1960

« Le Soleil de paille », Elsa Schiaparelli, sergé de soie, années 1950

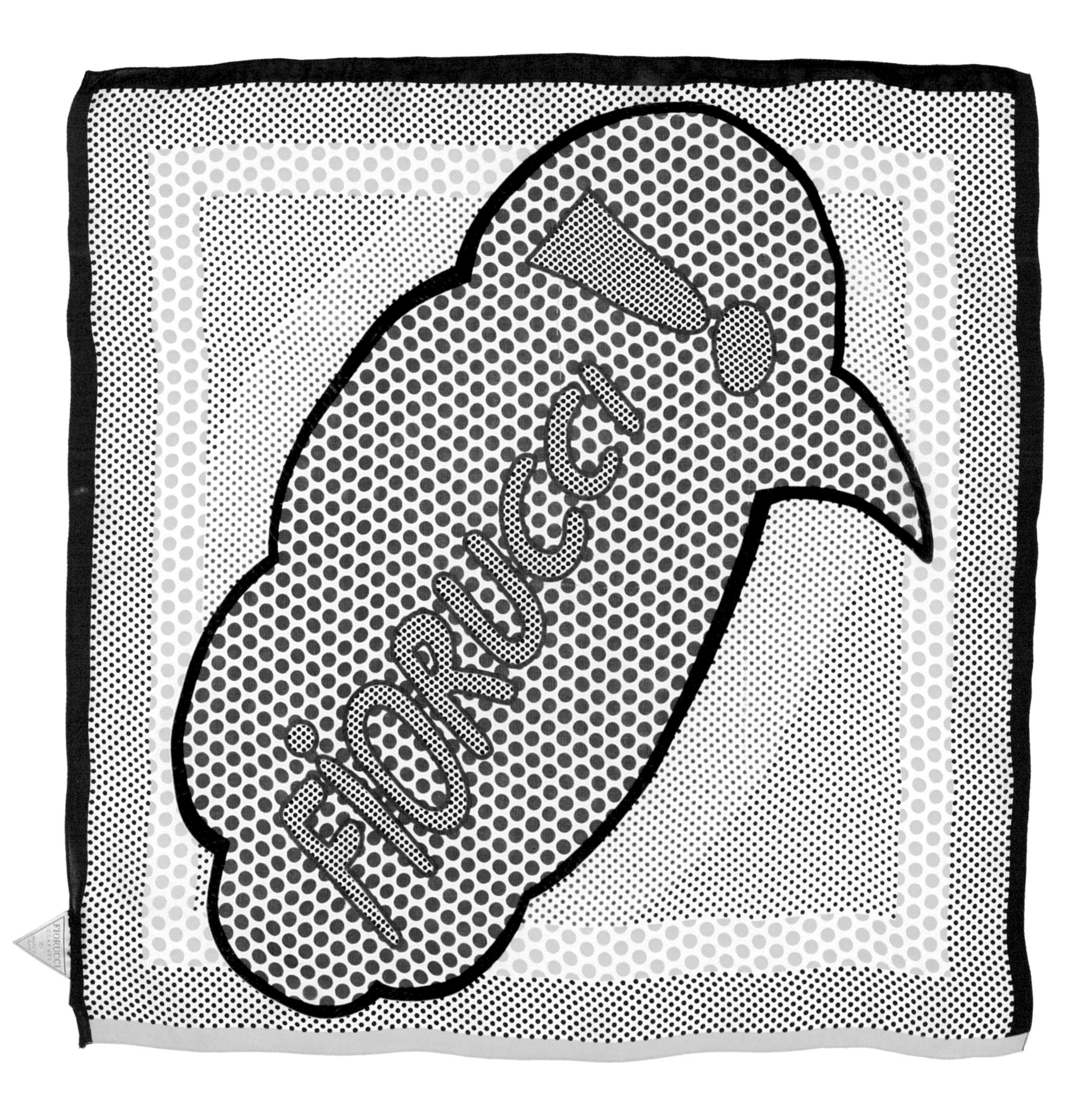

Fiorucci, crêpe synthétique, années 1980

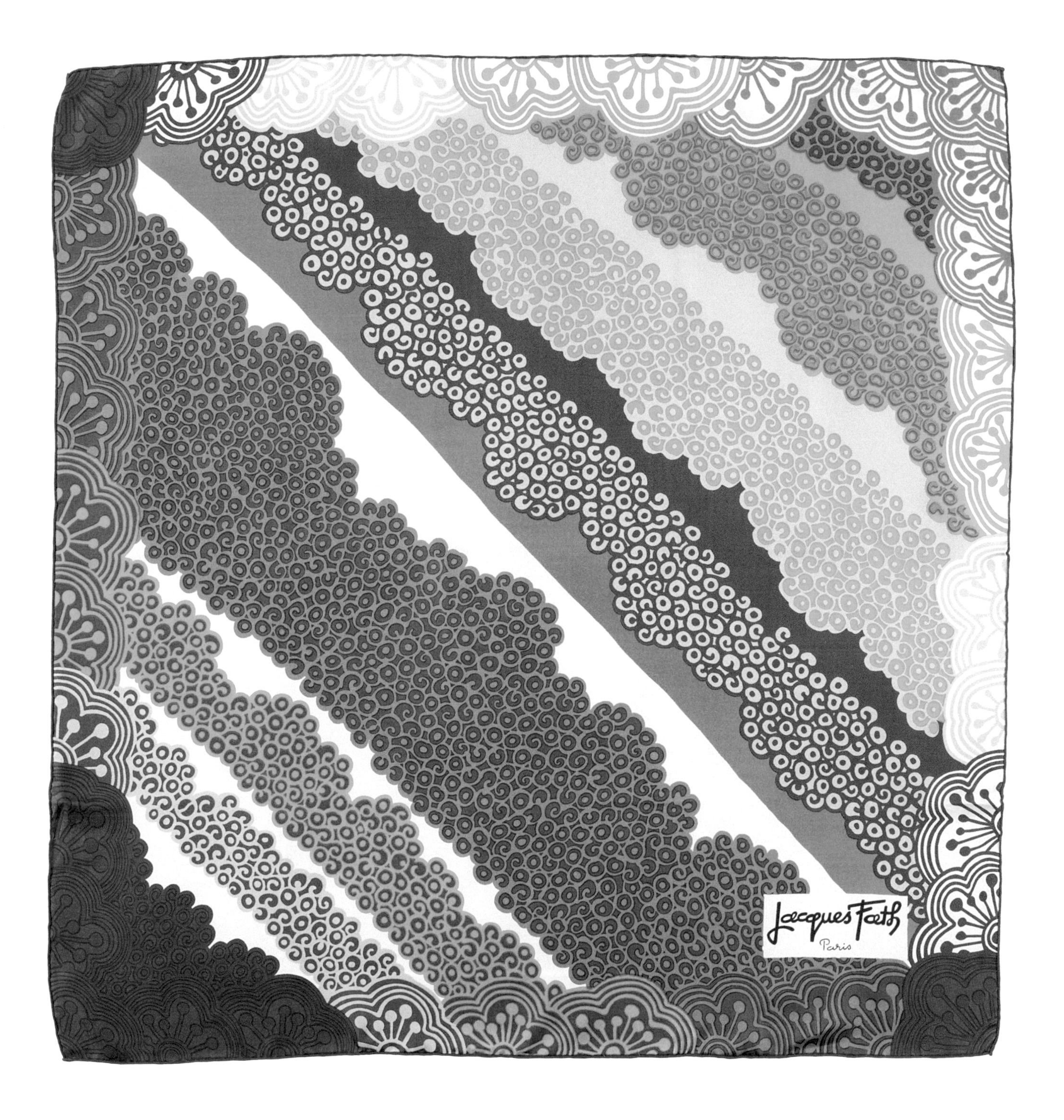

Jacques Fath, soie, années 1990

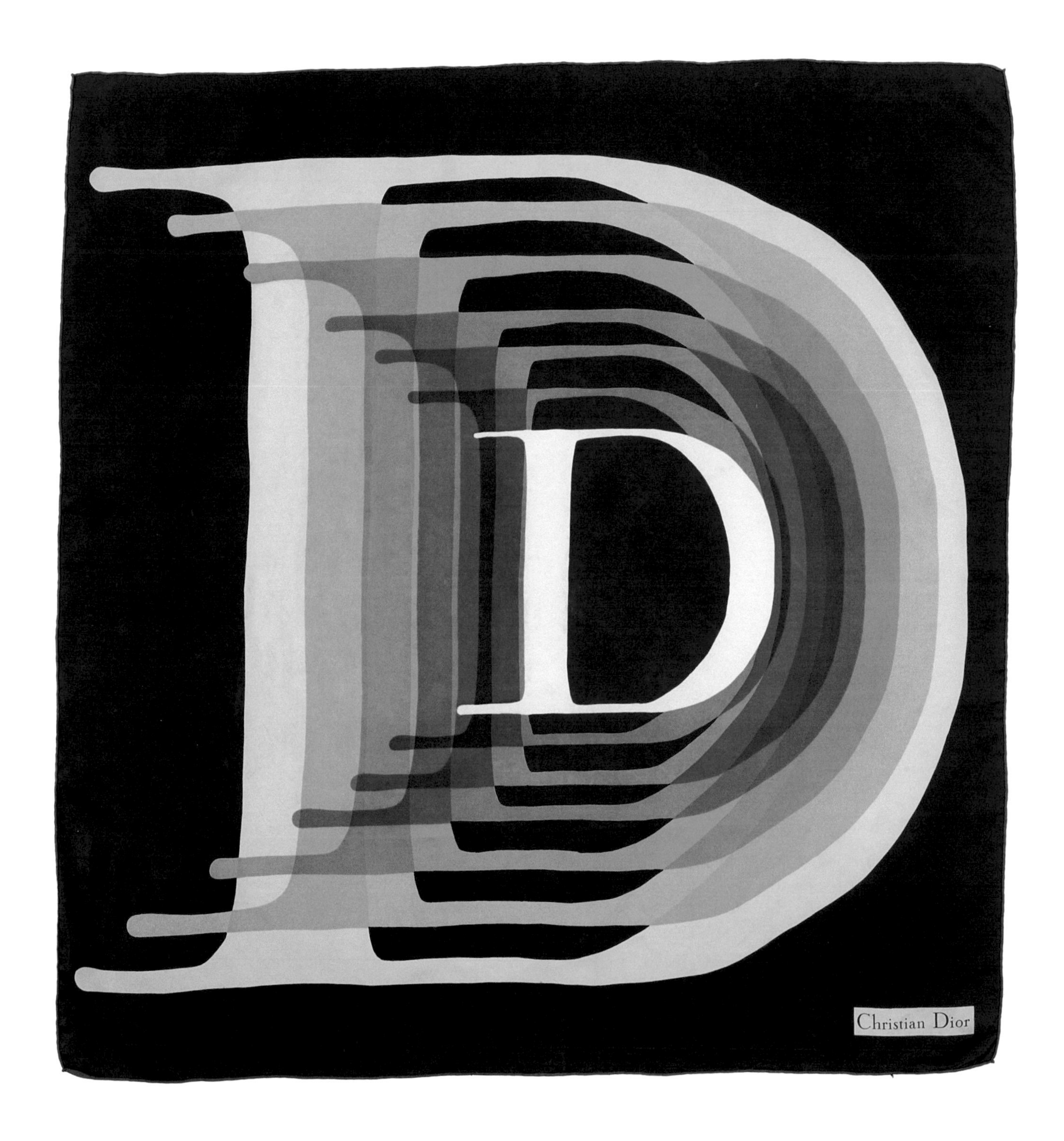

Christian Dior, soie, années 1980

Yves Saint Laurent pour Christian Dior, soie, années 1970

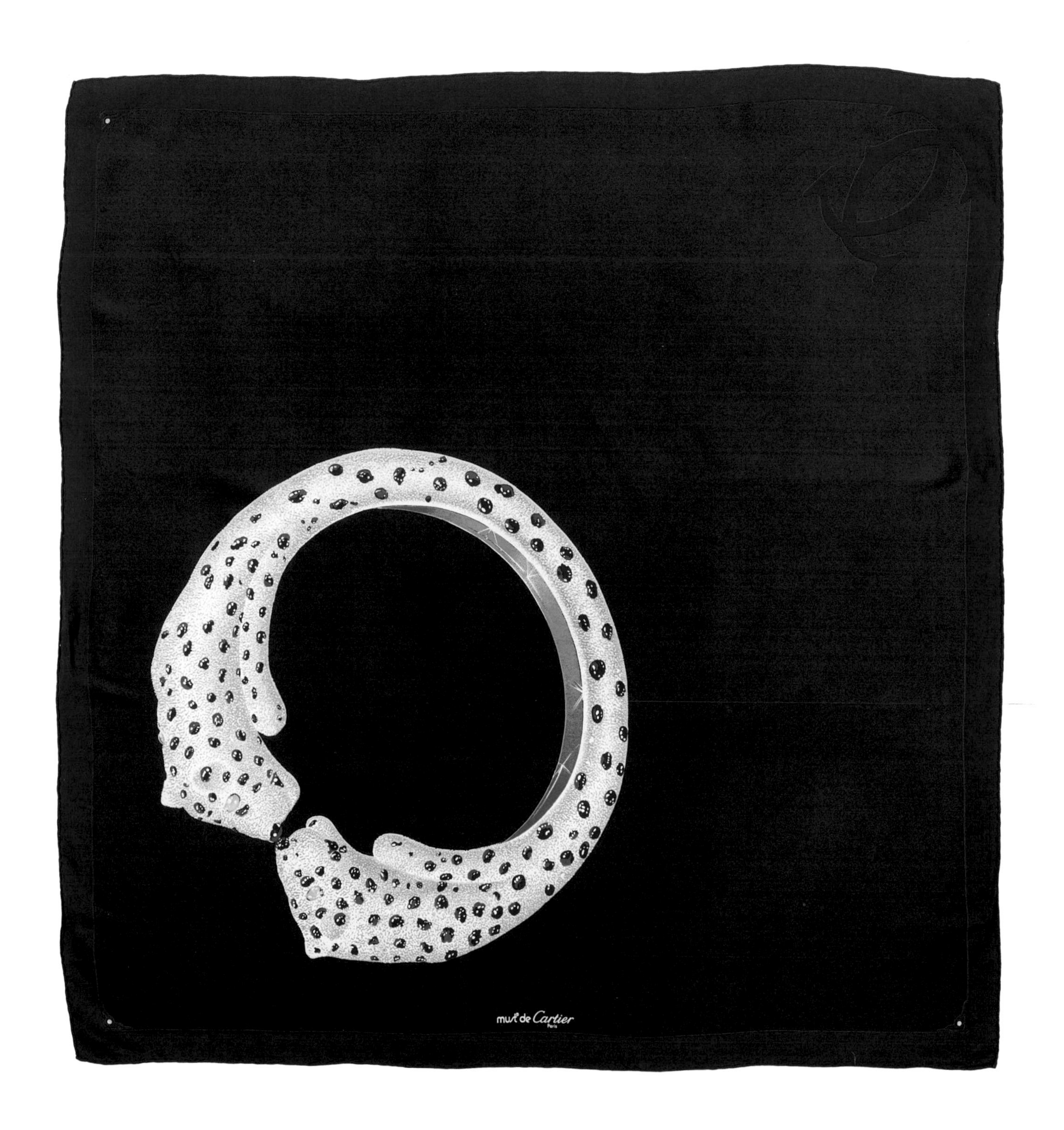

Cartier, soie, années 1980

André Courrèges, sergé de soie, années 1960

Pierre Balmain, soie, années 1960

Pierre Balmain, soie, années 1970

Gucci, sergé de soie, années 1980

« Propaganda », Vivienne Westwood, soie, 2005

Jean Muir, soie, années 1980

Jean Patou, soie, années 1960

Antonio del Castillo pour Jeanne Lanvin, soie, années 1950

Maggy Rouff, soie, années 1950

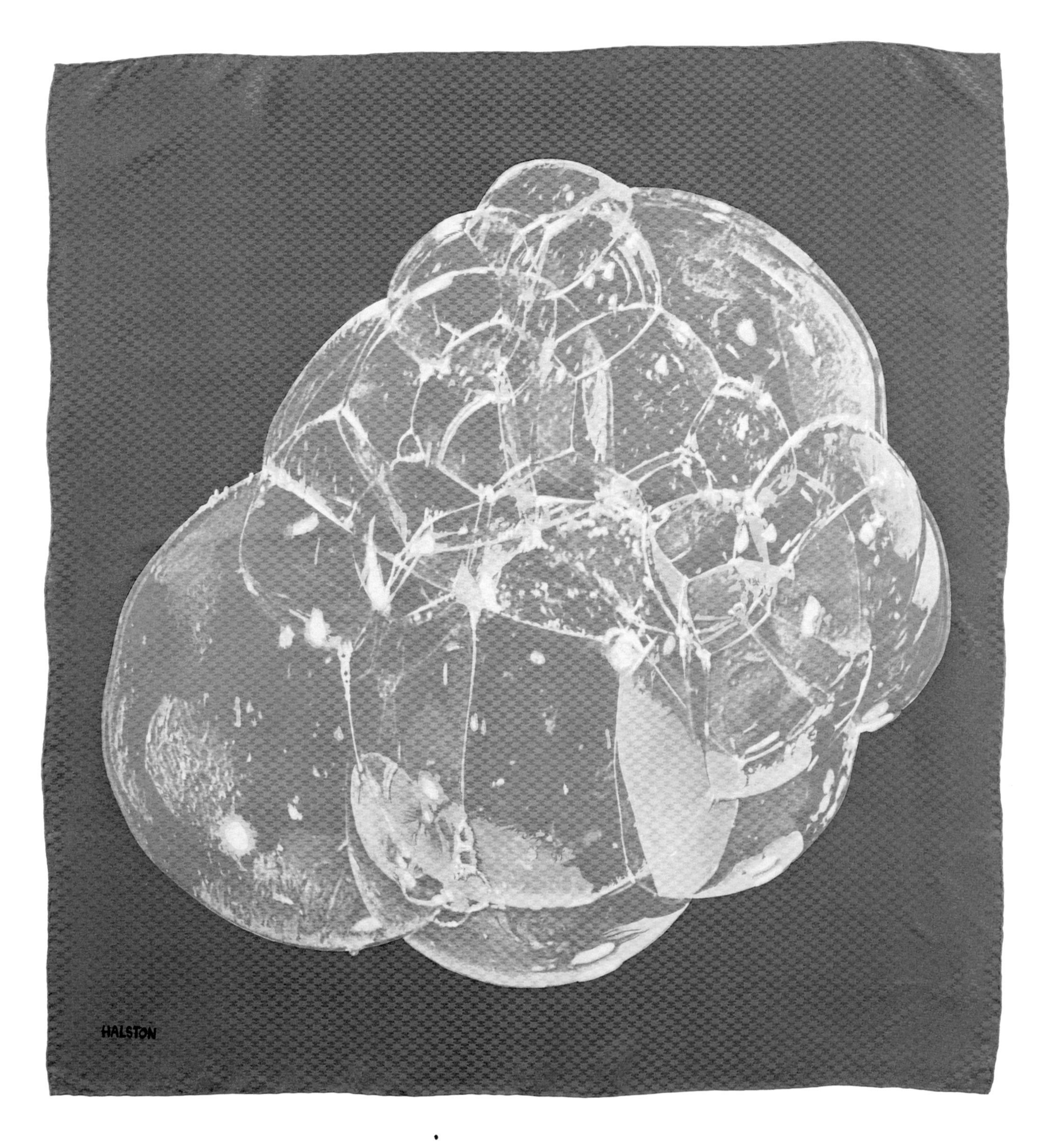

Halston, soie, années 1980

Balenciaga, soie, années 1980

Balenciaga, soie, années 1980

Hanae Mori, soie, années 1970

Vittorio Accornero pour Gucci, soie, années 1970

« Flora », Vittorio Accornero pour Gucci, soie, années 1960

Nina Ricci, mousseline de soie sur soie, années 1950

Nina Ricci, soie, années 1980

Nina Ricci, mousseline de soie sur soie, années 1950

« L'Air du Temps », Nina Ricci, soie, années 1990

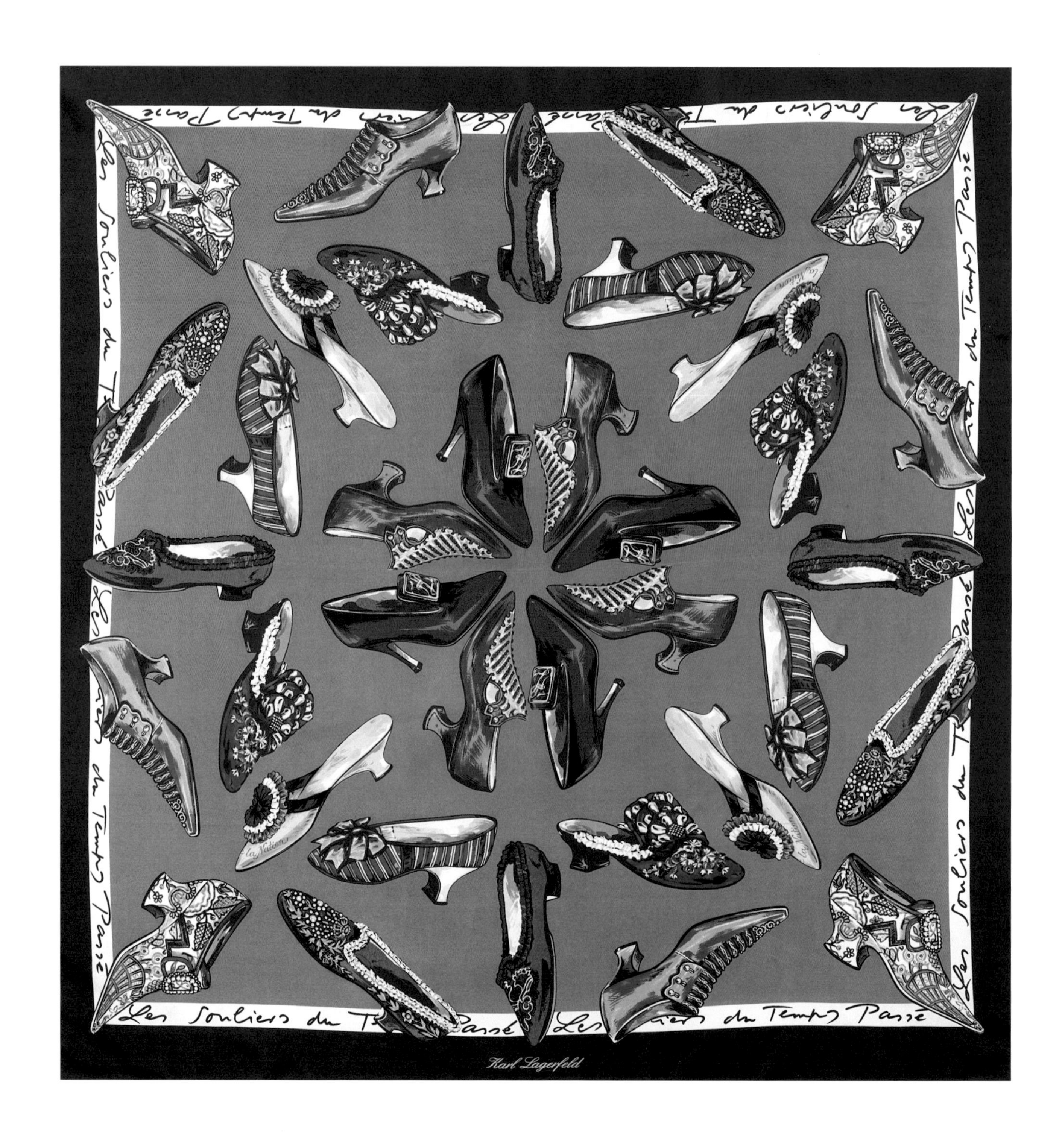

« Les Souliers du temps passé », Karl Lagerfeld, soie, années 1980

Moschino, soie, années 1990

« I Don't Give a Chic », Moschino, soie, années 1990

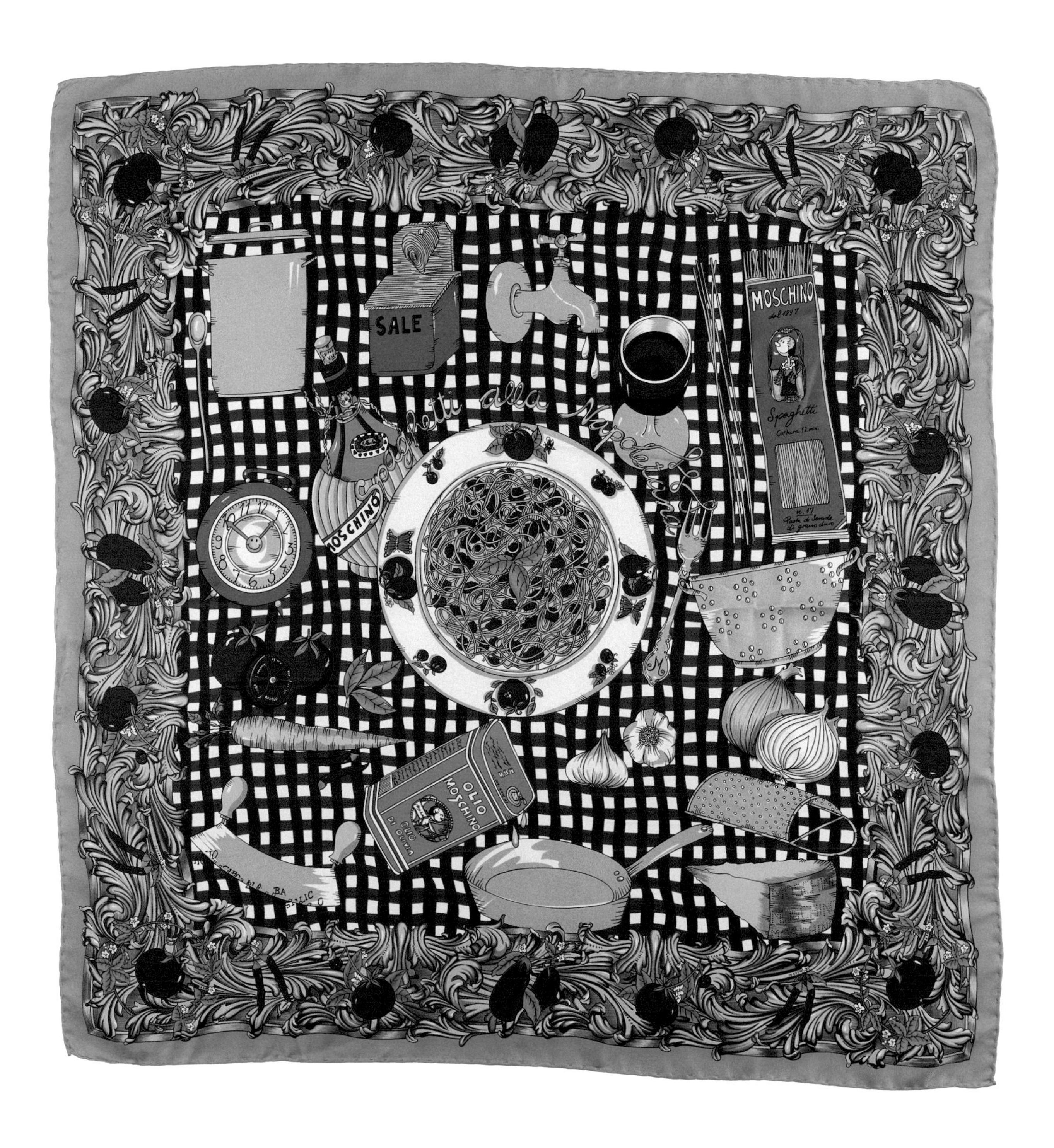

Moschino, soie, années 1980

Pierre Balmain, soie, années 1950

Mary Quant, foulards triangle en coton, années 1960

Salvatore Ferragamo, sergé de soie, années 1980

« Portrait », Vivienne Westwood, soie, 1990

« Miami », Versace, sergé de soie, 1993

Yves Saint Laurent, soie, années 1980

« L'Automne », Yves Saint Laurent, soie, 1983

Paul Smith, sergé de soie, années 1980

Hardy Amies, soie, années 1950

Pierre Cardin, soie, années 1960

Emilio Pucci, soie, années 1990

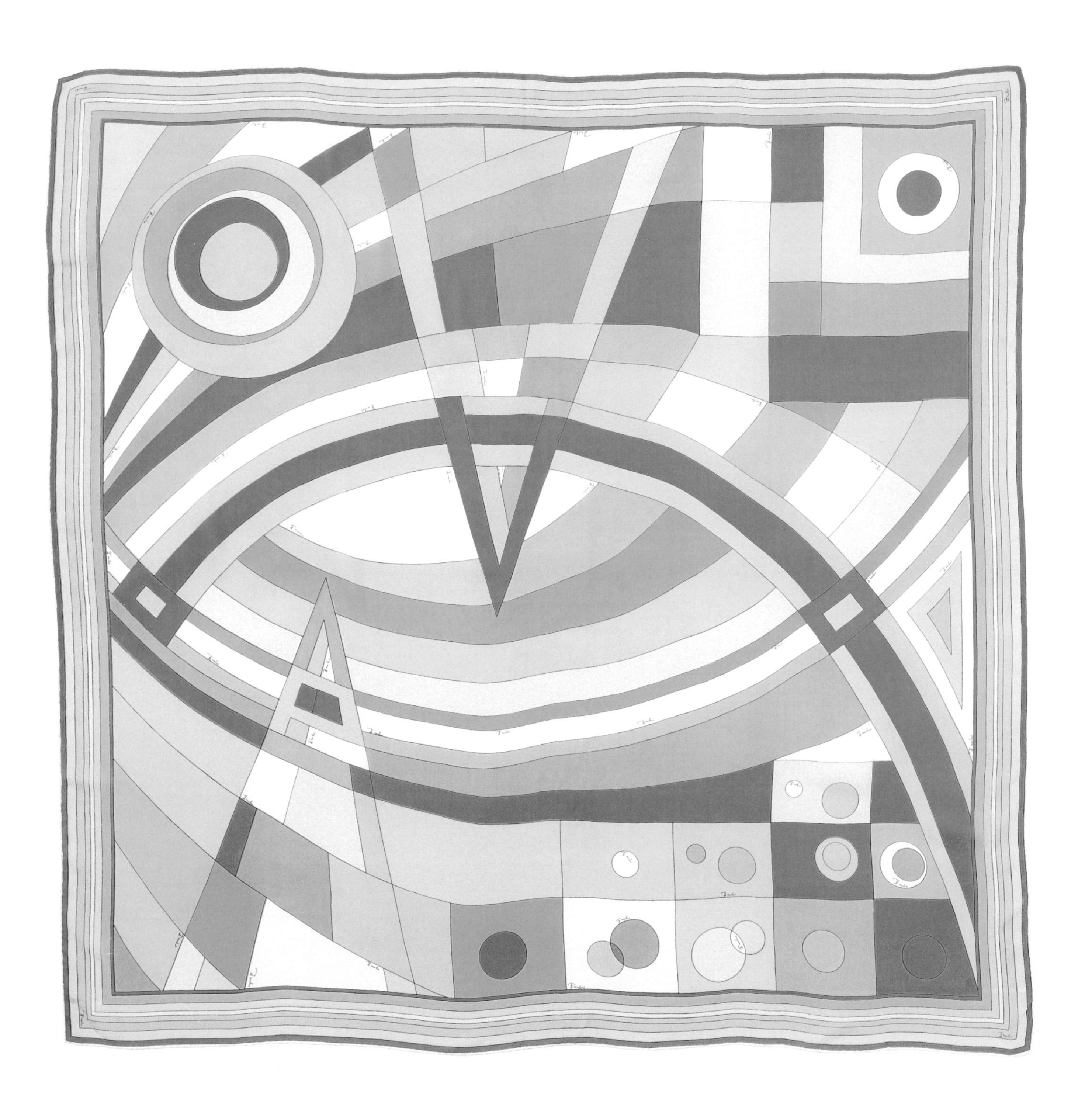

Emilio Pucci, mousseline de soie, années 1980

Royal Opera House
COVENT GARDEN
Tuesday, 9th February, 1965
The 1st performance at the Royal Opera House by the Royal Ballet of
ROMEO AND JULIET
BALLET IN THREE ACTS
Music by SERGE PROKOFIEV
Choreography by KENNETH MACMILLAN
Scenery and costumes by NICHOLAS GEORGIADIS
Lighting by WILLIAM BUNDY

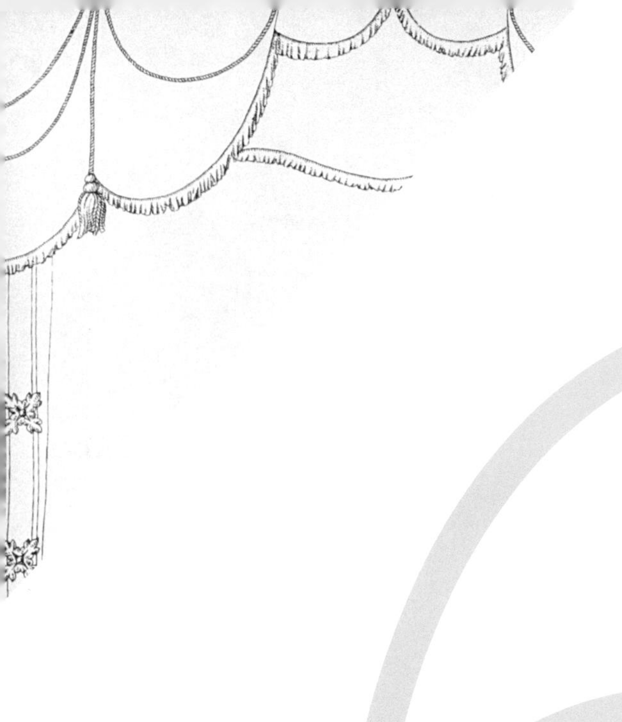

6

LES FOULARDS COMMÉMORATIFS

Cette page et ci-contre : « Royal Opera House », Hardy Amies, soie, années 1970

Bien qu'il soit un accessoire de mode, le foulard témoigne à sa manière de l'histoire du XXe siècle. Autrefois, pochettes et foulards étaient, bien plus qu'aujourd'hui, des éléments fondamentaux de la garde-robe. Comme ils étaient omniprésents, on eut l'idée de les utiliser – comme les T-shirts à la fin du XXe siècle – pour célébrer des fêtes ou des événements importants, pour promouvoir une œuvre cinématographique ou musicale, et, pendant la guerre, pour inciter au patriotisme. Si les pochettes furent utilisées à l'une ou l'autre de ces fins dès les années 1900, les premiers foulards commémoratifs ne firent leur apparition qu'après la Première Guerre mondiale. De manière inattendue, ils nous livrent quelques aperçus de la vie au XXe siècle.

À partir des années 1930, des foulards furent édités à l'occasion des expositions internationales. Celles-ci avaient pour vocation de promouvoir les nouvelles techniques et les produits apparus récemment sur le marché, l'objectif étant d'encourager le commerce international et de faire sortir les États-Unis de la Grande Dépression survenue en 1929. Les foulards particulièrement intéressants pour les collectionneurs sont ceux de l'Exposition universelle de 1939, organisée à New York, et de l'Exposition internationale du Golden Gate qui eut lieu à San Francisco en 1939–1940. Ces foulards aux couleurs vives donnent une idée tant des infrastructures mises en place pour ces expositions que des objets présentés. De même, des foulards aux décors variés furent fabriqués en 1951 à l'occasion du Festival of Britain, organisé pour revitaliser l'industrie britannique anéantie pendant la guerre. Outre les foulards à bas prix qui furent fabriqués en série et vendus comme souvenirs à cette occasion, on peut parfois trouver des foulards avec des décors plus élaborés qui étaient destinés à une clientèle plus aisée.

Pendant la Seconde Guerre mondiale, le port du foulard, qui jusqu'alors avait été le plus souvent l'apanage de l'aristocratie et des classes moyennes, commença à se répandre dans toute la population. Le chapeau étant devenu un article cher en raison du rationnement qui touchait le secteur de l'habillement, on lui préférait de plus en plus fréquemment le foulard. On incitait en outre les femmes qui travaillaient dans les usines de munitions à protéger leurs cheveux avec un foulard. Les fabricants de foulards enregistrèrent ainsi une forte hausse de leurs ventes, et des fabricants de textiles entreprenants, comme la maison Jacqmar, se mirent à imprimer des décors patriotiques sur des tissus destinés à la confection de robes et de foulards. Un grand nombre de foulards fabriqués en Grande-Bretagne furent achetés par des soldats étrangers qui voulaient, une fois de retour chez eux, les offrir à leur bien-aimée. Des phrases extraites des discours de guerre de Winston Churchill ainsi que des dictons populaires comme « parler sans réfléchir peut coûter la vie » étaient souvent associés aux décors. Destinés à remonter le moral de la population, ces foulards étaient imprimés dans des couleurs vives et souvent ornés d'une vue réconfortante du pays. On doit à Cecil Beaton et Feliks Topolski des foulards de guerre d'un autre genre : chargés par le gouvernement britannique de livrer, en tant qu'artistes, le fruit de leurs observations sur la guerre, ils exécutèrent un certain nombre de dessins dont certains furent par la suite imprimés sur des foulards. Après la guerre, en 1945, des foulards commémorant la victoire furent produits en série par un certain nombre de fabricants.

L'Italie, la France et les États-Unis fabriquèrent également des foulards de propagande. On trouve sur les foulards américains, généralement imprimés en rouge, blanc et bleu, des G.I., des avions et des slogans patriotiques. Les foulards de propagande français portent souvent des slogans incitant à libérer la France des nazis. Les foulards fabriqués en Italie pendant la guerre sont en revanche ornés de paysages radieux typiques du pays, auxquels un drapeau vert, blanc, rouge est souvent associé.

Les premiers foulards fabriqués à l'occasion d'événements sportifs firent probablement leur apparition dans les années 1930. Les courses hippiques étaient alors des événements mondains et attiraient de nombreux spectateurs. Des foulards sur lesquels figuraient le jockey gagnant et son cheval ainsi que les gagnants des courses précédentes furent édités pour le Grand Prix de Paris et le Derby d'Epsom en Grande-Bretagne. L'émergence du Mouvement olympique moderne fournit une autre occasion de fabriquer des foulards immortalisant des événements sportifs. Parmi les plus anciens figurent ceux des Jeux olympiques de 1936, qui se déroulèrent à Berlin. Fabriqués en rayonne, ce qui était peu courant à l'époque, ces foulards ont un décor composé des cinq anneaux olympiques, entourés des drapeaux de tous les pays ayant participé aux Jeux. Les Jeux olympiques suivants, organisés à Londres, n'eurent lieu qu'en 1948. C'est Arnold Lever qui fut chargé de dessiner un foulard pour marquer l'événement. D'autres furent par la suite systématiquement fabriqués à l'occasion des Jeux olympiques. Sur les plus anciens figure généralement la ville d'accueil des Jeux tandis que les plus récents représentent le plus souvent les athlètes eux-mêmes. Tous arborent les cinq anneaux olympiques imbriqués les uns dans les autres.

Tout au long du XXe siècle, le foulard a en outre été utilisé pour immortaliser les grands événements de la vie monarchique : les couronnements, les mariages et les jubilés par exemple. En Grande-Bretagne, l'abdication d'Édouard VIII a même été représentée sur un foulard. Un grand nombre de foulards ont été édités pour le vingt-cinquième anniversaire du couronnement d'Élisabeth II en 1977 et pour le mariage du prince Charles avec Diana Spencer en 1981.

Dans les années 1950, des foulards furent fabriqués pour une grande variété d'événements culturels : films, pièces de théâtre, ballets, etc. Les plus recherchés aujourd'hui par les collectionneurs sont ceux qui commémorent des moments légendaires comme par exemple la performance de Margot Fonteyn et de Rudolf Noureev dans *Le Lac des cygnes* en 1966.

« London, 1944 », Feliks Topolski pour Ascher, crêpe de rayonne, 1944

« Winston Churchill », Filmyra Fabrics, rayonne, 1943

« Festival of Britain 1951 », James Gardner pour Ascher, sergé de soie, 1951

« Festival of Britain », fabricant britannique inconnu, rayonne, 1951

Jacqmar, soie, 1953

Oliver Messell pour un fabricant inconnu, soie, 1977

Fabricant belge inconnu, soie, 1958

Fabricant britannique inconnu, acétate, 1958

Liberty, soie, 1977

« New York World's Fair, 1939 », fabricant américain inconnu, rayonne, 1939

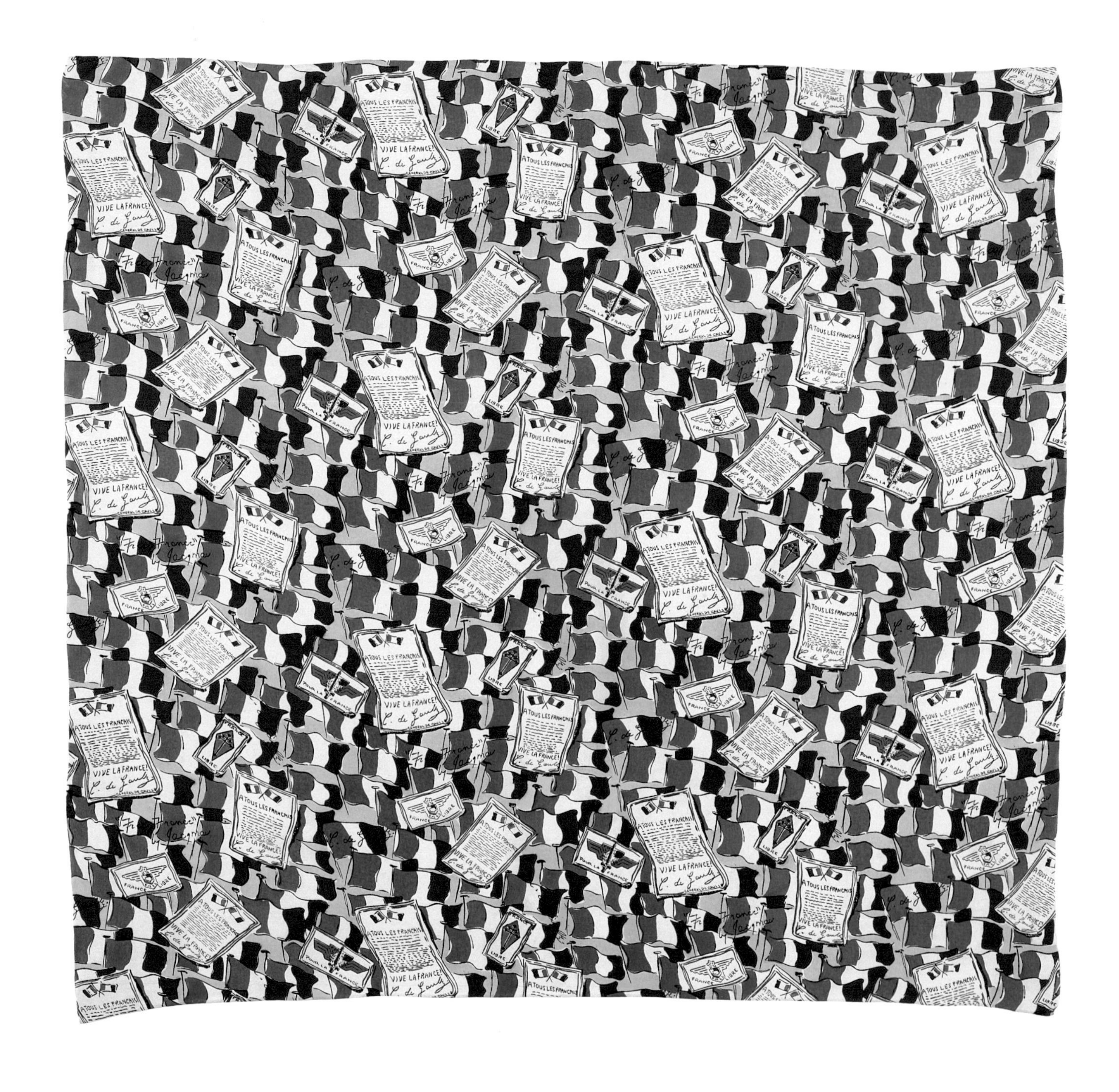

« Free France », Jacqmar, rayonne, 1942

« London Wall », Arnold Lever pour Jacqmar, crêpe de soie, années 1940

Arnold Lever (attribué à) pour Jacqmar, toile à sac recyclée, 1944

« Time Gentlemen Please », Jacqmar, toile à sac recyclée, années 1940

Twelfth
Air
Force
Honey Chile
Sierra
Sierra Sue
Thumper
Space Parts
R.F.D. 3
Nightmare
Late Date Dottie
Black Magic
Skylark
Little Sarocco
Pistol Packing Mamma
Lady from Hades
Black Scorpion
Red The Wrecker III
Lonesum Polecat
Midnight
Li'l Henry
Ridge Runner
Jig Jig
Culpepper Jinx
Hoo Doo Hawk
Ace of Pearls

Ci-dessus : foulard commémorant les premiers pas sur la lune, Lariana, sergé de soie, 1969
Ci-contre : « Twelfth Air Force », fabricant américain inconnu, rayonne, 1942

« Coronation Derby Winners », Jacqmar, soie, 1953

« Gagnant du Grand Prix », fabricant français inconnu, soie, 1934

Arnold Lever pour un fabricant britannique inconnu, soie, 1948

Fabricant australien inconnu, mousseline de soie, 1956

Carte d'évasion de la R.A.F pendant la Seconde Guerre mondiale, fabricant britannique inconnu, soie, années 1940

Foulard commémorant la fin de la Seconde Guerre mondiale, fabricant britannique inconnu, georgette de soie, 1945

Grande pochette de lin commémorant le mariage du futur roi George V et de la reine Marie, fabricant britannique inconnu, coton, 1893

Fabricant britannique inconnu, coton, 1897

TEIDE
Sta. CRUZ de TENERIFE
LA OROTAVA
LA LAGUNA

7
LES FOULARDS SOUVENIRS

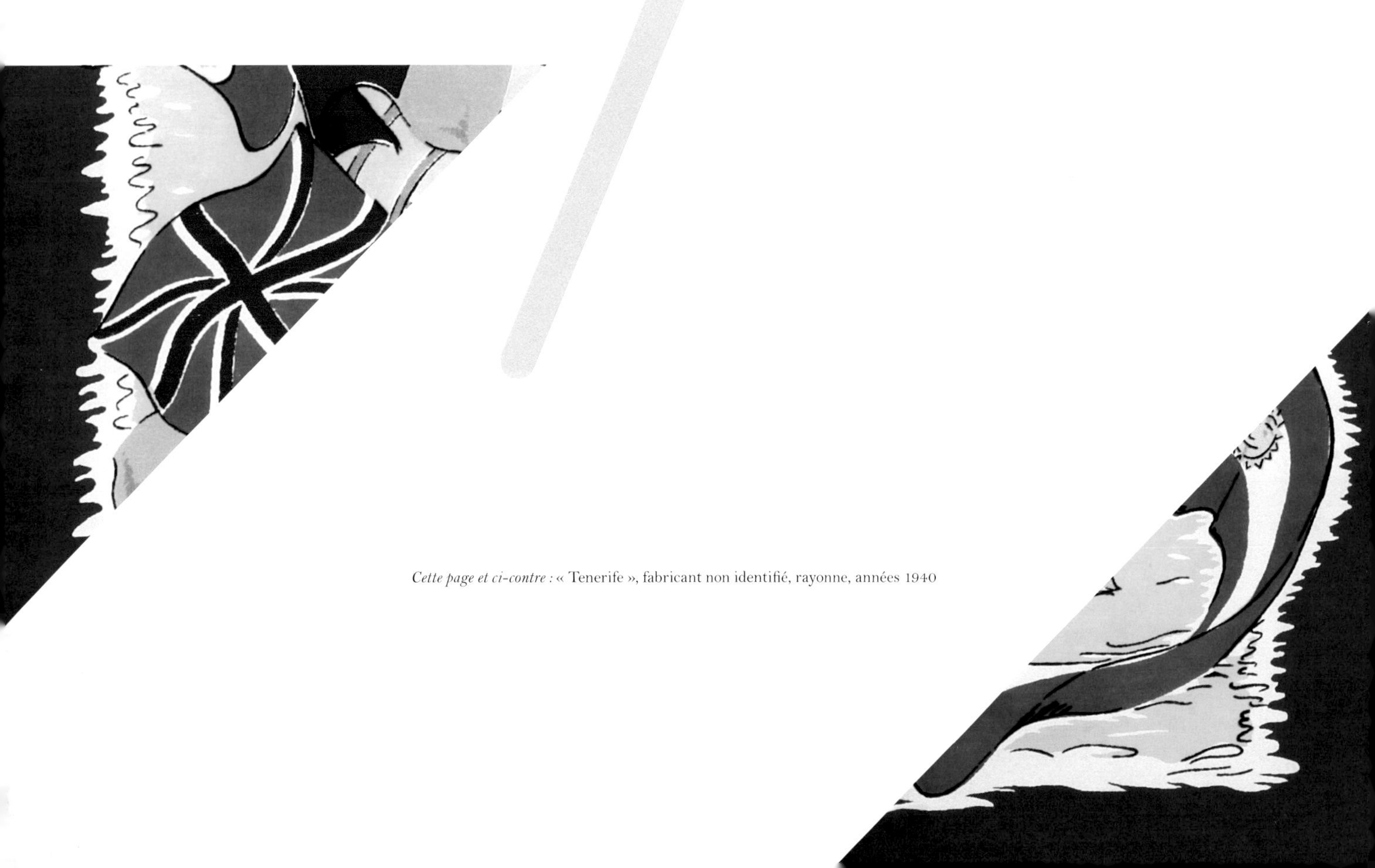

Cette page et ci-contre : « Tenerife », fabricant non identifié, rayonne, années 1940

Grâce au développement du transport aérien et à une prospérité toujours plus grande dans les années 1950, toutes les catégories sociales commencèrent à partir en vacances à l'étranger, ce qui avait été jusqu'alors l'apanage des plus aisés. Cette période coïncida avec le début de la production de foulards en tissu synthétique, imprimés de couleurs vives, fabriqués en grand nombre et vendus de ce fait à bas prix. Les touristes toujours plus nombreux issus des classes moyennes pouvaient donc aisément rapporter des foulards de leurs voyages. Dans les années 1940 et 1950, le foulard était par ailleurs un accessoire de mode indispensable à la garde-robe de voyage d'une femme. Il apparut donc aux industriels du transport et du tourisme comme un support publicitaire idéal.

Les compagnies aériennes, les navires de croisière et les trains de luxe éditèrent ainsi des foulards pour se faire de la publicité. Ceux distribués aux voyageurs par les compagnies aériennes, notamment Alitalia, la Qantas, la Pan Am et la BOAC (British Overseas Airways Corporation, l'actuelle British Airways), sont recherchés par les collectionneurs de foulards mais aussi par les collectionneurs qui s'intéressent aux compagnies aériennes en général. Les tout premiers foulards édités par ces compagnies illustrent le caractère excitant du voyage en avion : sur certains sont représentés des salons d'aéroport ; sur d'autres, des valises et des étiquettes de bagages ; sur d'autres encore, des avions. Les foulards diffusés ensuite ont un décor plus abstrait, destiné essentiellement à vendre l'image de la compagnie. Dans les années 1950, faire un voyage en automobile représentait pour beaucoup une véritable nouveauté, comme en témoignent les nombreux modèles de voiture imprimés sur les foulards de cette époque.

On trouve sur certains foulards des slogans accrocheurs et des images idylliques destinés à promouvoir différentes destinations dont la popularité changea au fil des décennies. Dans les années 1950, la France, plus précisément Paris et la Côte d'Azur, était une destination très à la mode. Par la suite, les voyageurs commençant à s'aventurer un peu plus loin, Rome, Venise ainsi que les villes du littoral et les petites îles italiennes les attirèrent davantage. L'Espagne devint accessible au plus grand nombre dans les années 1970, ce qui accéléra la production de foulards en acétate ornés de scènes de tauromachie, de danseuses de flamenco ou de vues des stations balnéaires espagnoles. Au cours de cette décennie, les stations de montagne de la Suisse et de l'Autriche devinrent également des destinations à la mode. Ces pays se mirent à fabriquer des foulards en coton, en lin et en laine avec pour décor des montagnes aux sommets enneigés, des edelweiss ou des personnages en costume traditionnel. Les foulards rapportés de destinations plus lointaines – Hawaï, les Caraïbes, l'Australie, la Nouvelle-Zélande, l'Afrique du Sud ou même le Moyen-Orient – sont des pièces de collection recherchées, car à l'époque où le foulard était un souvenir de voyage très prisé, il était encore rare de visiter ces contrées.

Les touristes rapportent souvent du Japon des foulards *furoshiki*, bien que ceux-ci ne soient pas véritablement vendus comme souvenirs. Il s'agit de tissus japonais traditionnels utilisés pour envelopper toutes sortes de choses, du bento au cadeau le plus sophistiqué. Ils sont confectionnés dans d'épais crêpes de soie. Les modèles les plus récents se présentent sous forme de carrés imprimés, ornés de paysages stylisés ou de geishas représentées dans des scènes d'intérieur. Ce sont de belles pièces de collection, qu'on peut porter en foulard ou utiliser comme tentures.

Jacqmar, soie, années 1940

« Saint-Tropez », fabricant français inconnu, soie, années 1960

Salterio, soie, années 1950

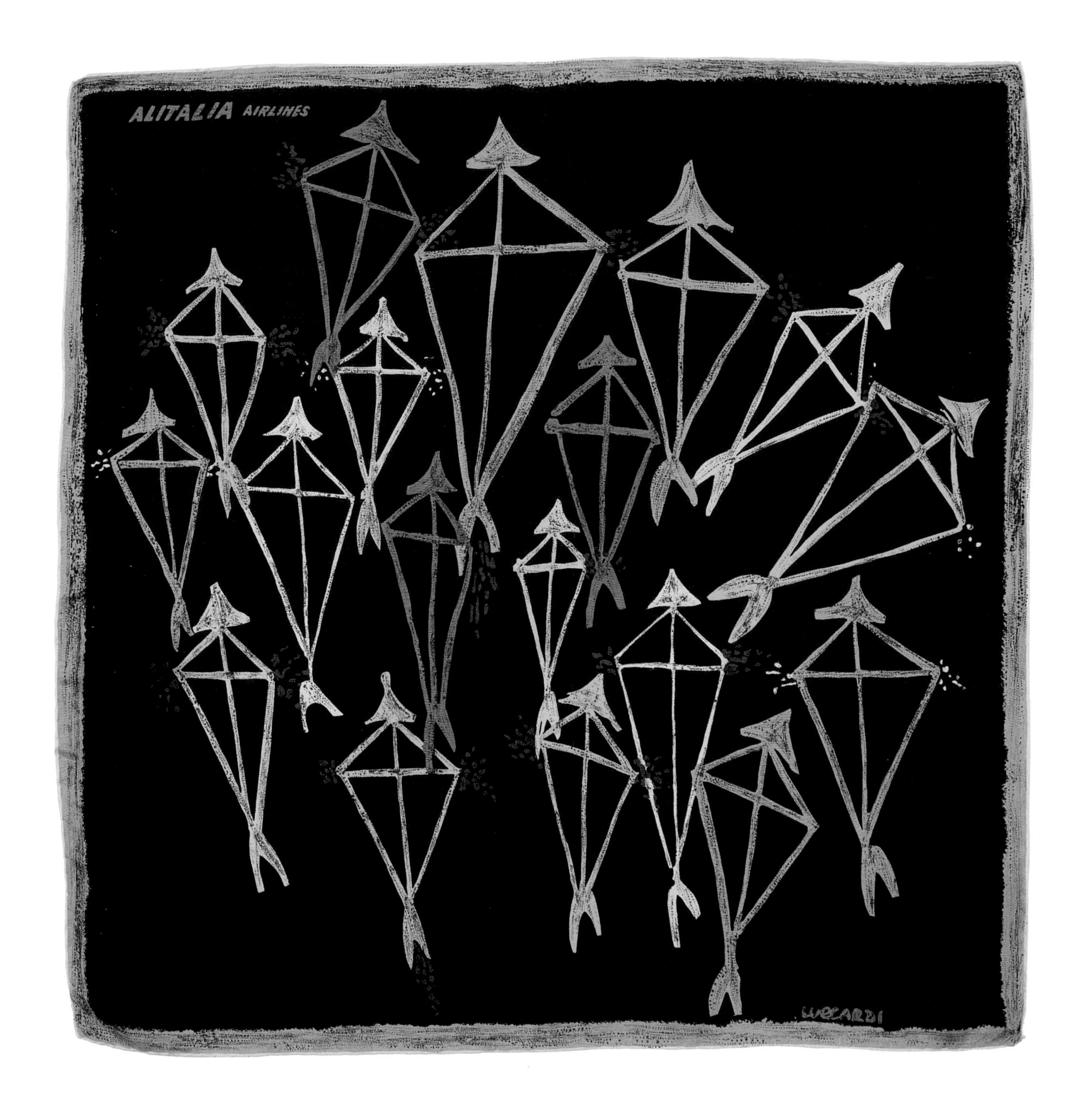

« Alitalia Airlines », Wecardi, soie, années 1950

« Qantas Airways », fabricant australien inconnu, soie, années 1970

« BOAC », fabricant britannique inconnu, soie, années 1950

« BOAC VC10 », foulard publicitaire pour les nouveaux vols long-courriers vers l'Afrique, fabricant britannique inconnu, soie, années 1960

« Buckingham Palace », fabricant britannique inconnu, soie, années 1950

« Blackpool », fabricant britannique inconnu, rayonne, années 1950

« S.S. *Nieuw Amsterdam* », Echo, soie, années 1950, réédité en 1986

« R.M.S. *Queen Elizabeth* », Jacqmar, soie, années 1940

« This England », fabricant britannique inconnu, coton, années 1940

Fabricant danois inconnu, coton, années 1960

Foulard *furoshiki*, fabricant japonais inconnu, crêpe de soie, années 1980

Fabricant japonais inconnu, impression sur soie selon une technique traditionnelle à base d'algues, années 1960

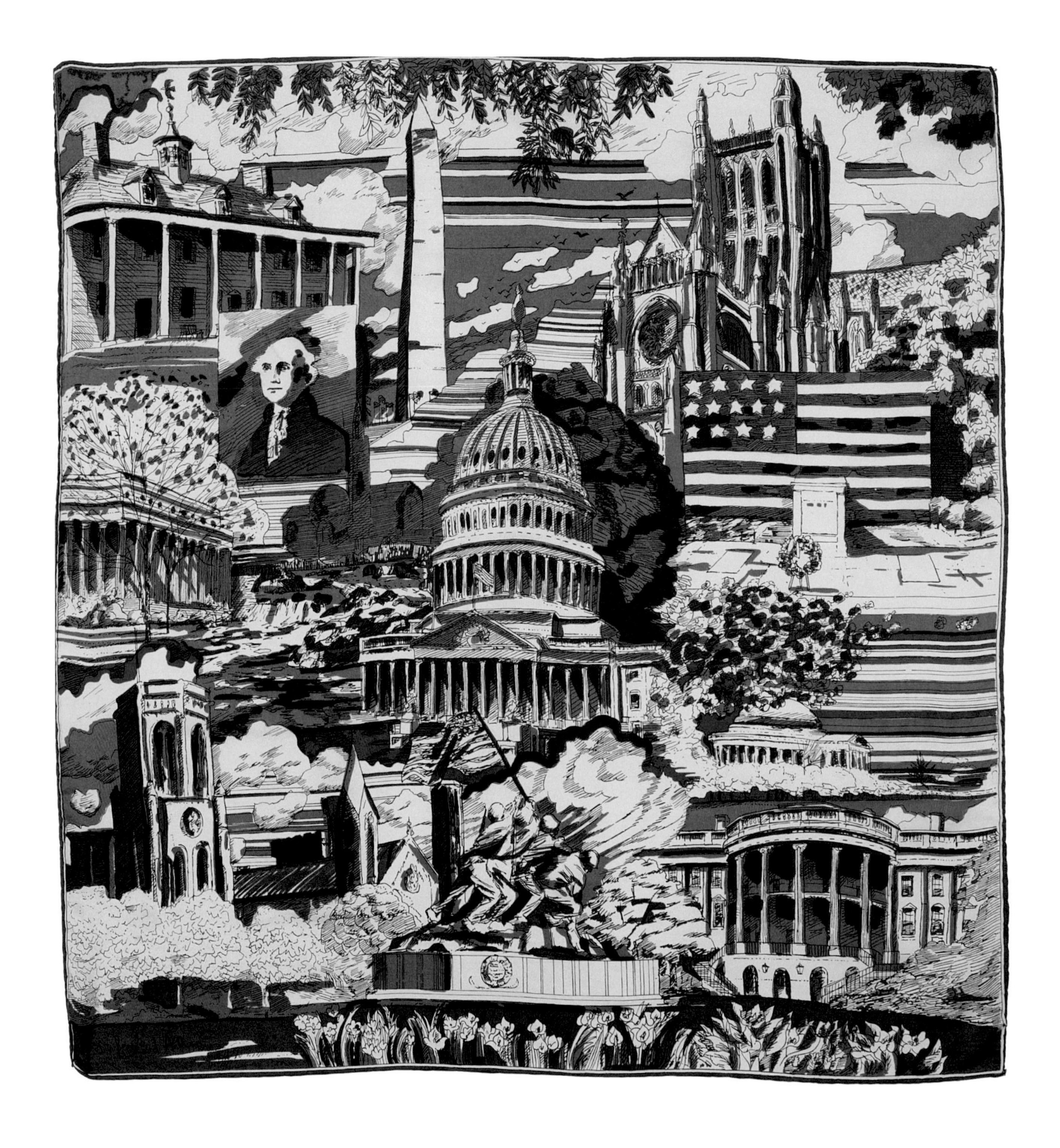

« Washington, DC », Richard Allan, soie, années 1970

Fabricant néerlandais inconnu, rayonne, années 1950

« Costa Brava », fabricant espagnol inconnu, synthétique, années 1950

Fabricant chinois inconnu, soie, années 1940

Fabricant américain inconnu, soie, années 1950

« Hôtel George V », Pierre Pages pour un fabricant français inconnu, soie, années 1950

Ci-dessus : « New York », fabricant américain inconnu, rayonne, années 1960
Ci-contre : « Tobago », fabricant inconnu, soie peinte à la main, années 1940

Fabricant inconnu, rayonne, années 1950

« Place Vendôme », fabricant français inconnu, soie, années 1950

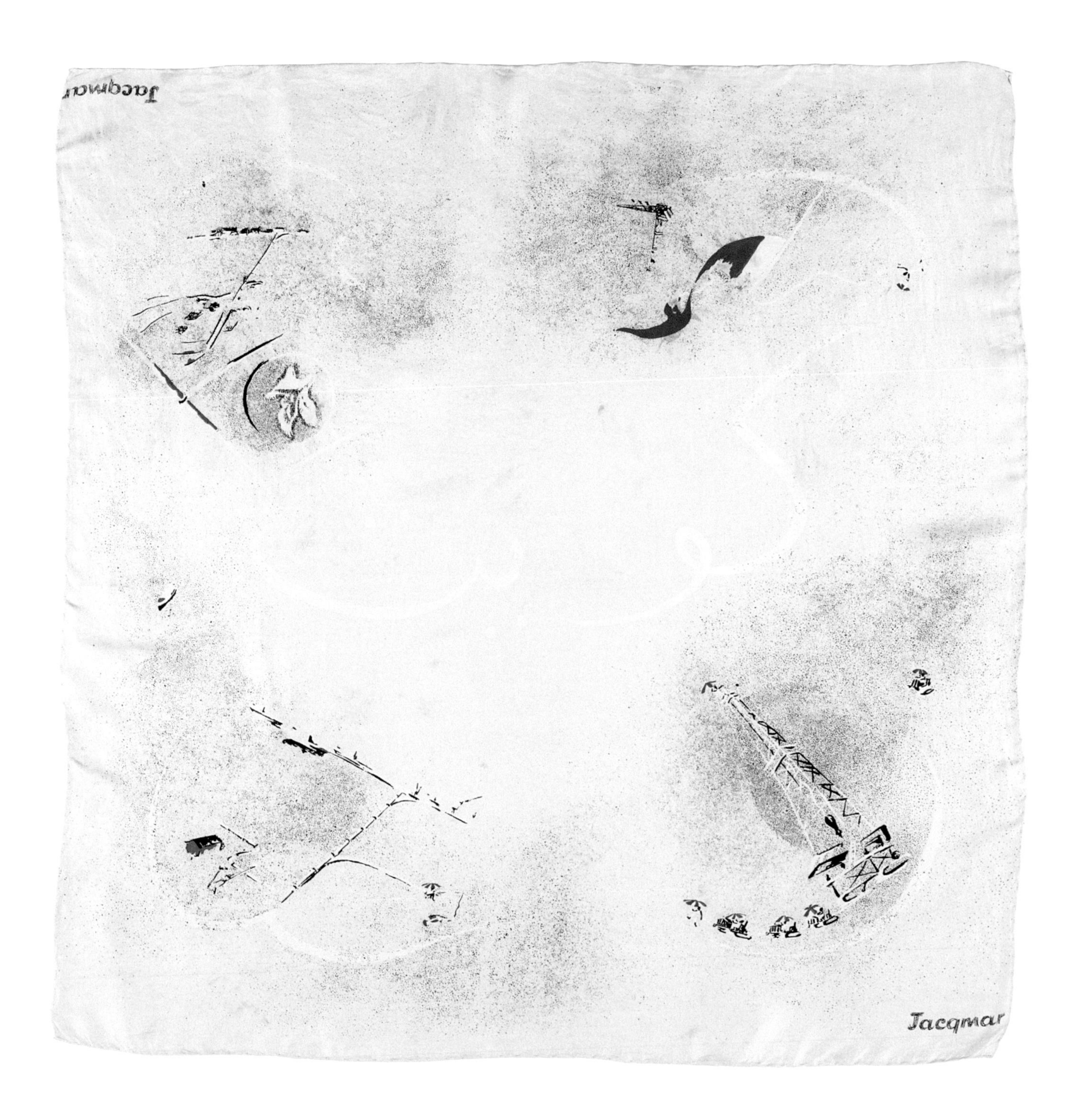

« Kuwait Airways », Jacqmar, soie, années 1960

Thirkell of Bond Street pour Saks Fifth Avenue, soie, années 1950

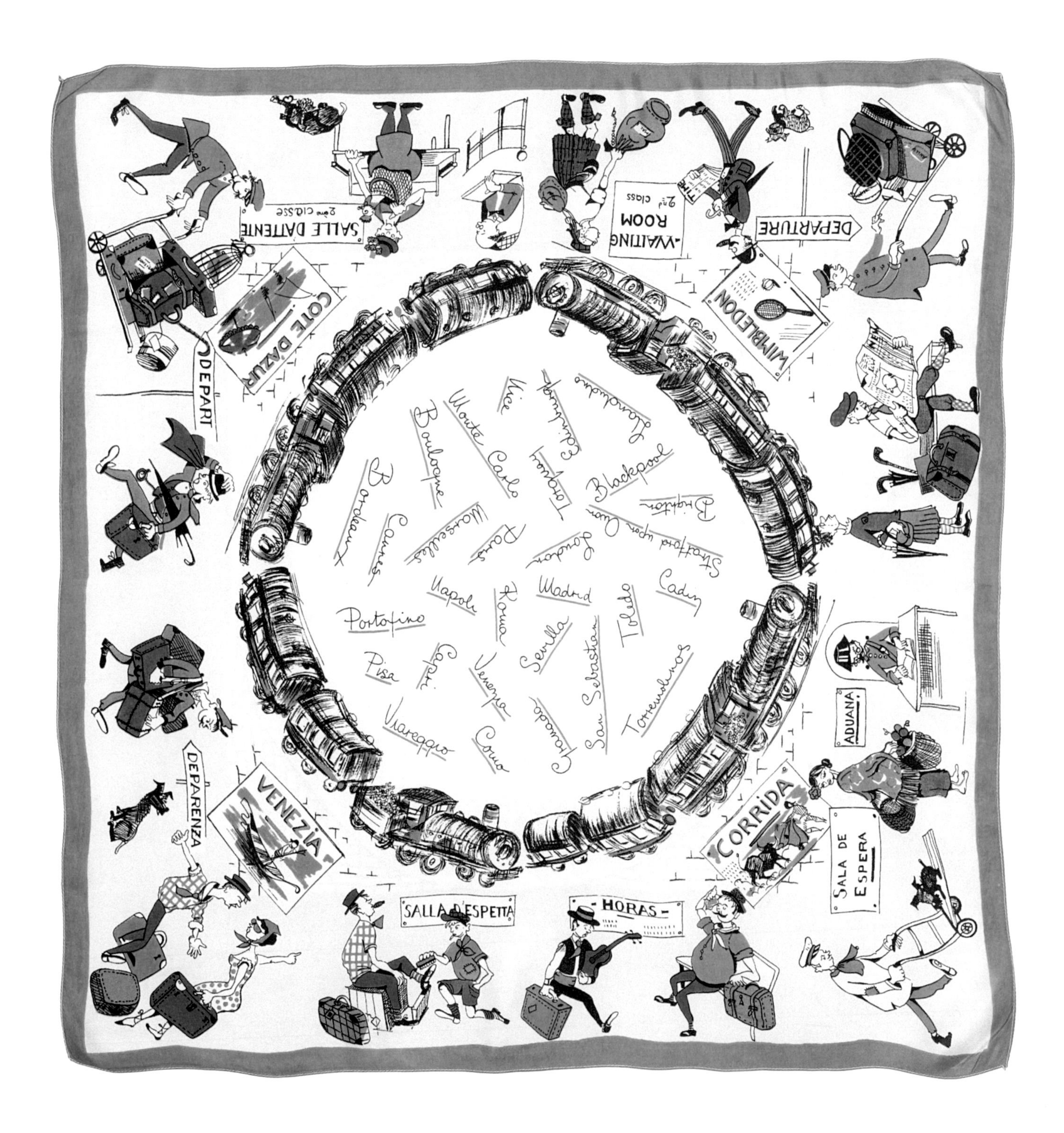

Fabricant inconnu, rayonne, années 1940

« Sydney », fabricant australien inconnu, rayonne, années 1950

« Bon Voyage », Kreier, soie, années 1950

« Bon Voyage », fabricant américain inconnu, soie, années 1950

WINS
WMCA
WHN
WNYC
WOR
WABC
CBS

8

LES FOULARDS PUBLICITAIRES

Cette page et ci-contre : « Radio City », fabricant américain inconnu, rayonne, années 1940

Dans les années ayant suivi la Seconde Guerre mondiale, l'industrie publicitaire, qui en était encore à ses balbutiements, se mit à tester différents types de supports pour promouvoir l'immense variété de biens de consommation apparus sur le marché. Suite au succès des foulards de propagande pendant la guerre, les publicitaires eurent l'idée d'utiliser les foulards à des fins promotionnelles et de les intégrer dans leurs campagnes publicitaires. Leur faible coût de production permettait de les distribuer gratuitement et, comme les femmes étaient nombreuses à les porter, ils offraient de formidables espaces publicitaires gratuits. C'est ainsi qu'ils servirent dans les années 1950 à promouvoir des cafés, des restaurants, des marques de cigarettes et des chanteurs populaires, mais aussi toutes sortes de produits alimentaires et de boissons ainsi que tout un éventail d'objets allant des pneus en caoutchouc aux articles de toilette. Les décors mettaient généralement en valeur le nom des produits et le logo de la marque. Suite aux transformations survenues dans la mode qui firent du foulard un accessoire moins indispensable, les motifs publicitaires devinrent moins fréquents.

Aux États-Unis, les foulards furent souvent utilisés pour promouvoir la sortie des nouveaux films et de leurs acteurs principaux. Dans les années 1960 furent diffusés des modèles bon marché à la gloire de chanteurs populaires tels qu'Adam Faith, Elvis Presley ou les Beatles. L'industrie du spectacle était alors en pleine expansion, et Broadway éditait des foulards intégrant dans leur décor le titre de ses nouveaux spectacles. Les studios d'Hollywood avaient l'habitude d'offrir un foulard en souvenir de chaque film à leur personnel et aux équipes cinématographiques. Ces foulards sont devenus des pièces rares, car ils étaient généralement édités en faible quantité, le nombre d'exemplaires dépendant de la durée pendant laquelle le film ou la comédie musicale était censé rester à l'affiche.

Il existe une autre catégorie de foulards qui furent fabriqués en exclusivité et ne furent pas commercialisés. Il s'agit de ceux du célèbre Club 21 de New York. Ces foulards produits en nombre limité étaient offerts à Noël aux épouses des clients réguliers du restaurant. Ils sont tout particulièrement recherchés par les collectionneurs car certains décors ont été commandés à des créateurs aussi célèbres que Tammis Keefe.

Éditer des foulards était le meilleur moyen pour les maisons de mode de promouvoir leur nom et leurs parfums. Ces foulards promotionnels étaient portés par les vendeuses ou spécifiquement conçus pour être offerts aux clientes lors de l'achat d'un flacon de parfum. Nul ne sait quel créateur conçut le premier foulard destiné à promouvoir un parfum. Après le N° 5 de Chanel et Shalimar de Guerlain, créés dès les années 1920, les parfums des maisons de couture Worth, Schiaparelli et Jean Patou firent rapidement leur apparition. Dans les années 1950, toutes ces maisons accompagnaient leurs parfums d'un foulard et elles continuèrent à le faire au cours des décennies suivantes. Après la Seconde Guerre mondiale, Pierre Balmain et Christian Dior avaient lancé les foulards « Miss Balmain » et « Miss Dior », destinés à véhiculer avec subtilité l'image de leurs nouveaux parfums ; ces foulards, qui furent produits en grand nombre dans les années 1960 et 1970, sont aujourd'hui très recherchés par les collectionneurs. Par la suite, les foulards accompagnant les parfums furent conçus de manière à être assortis à l'emballage du parfum et à promouvoir plus directement la marque du produit.

Jacqmar, soie, années 1950

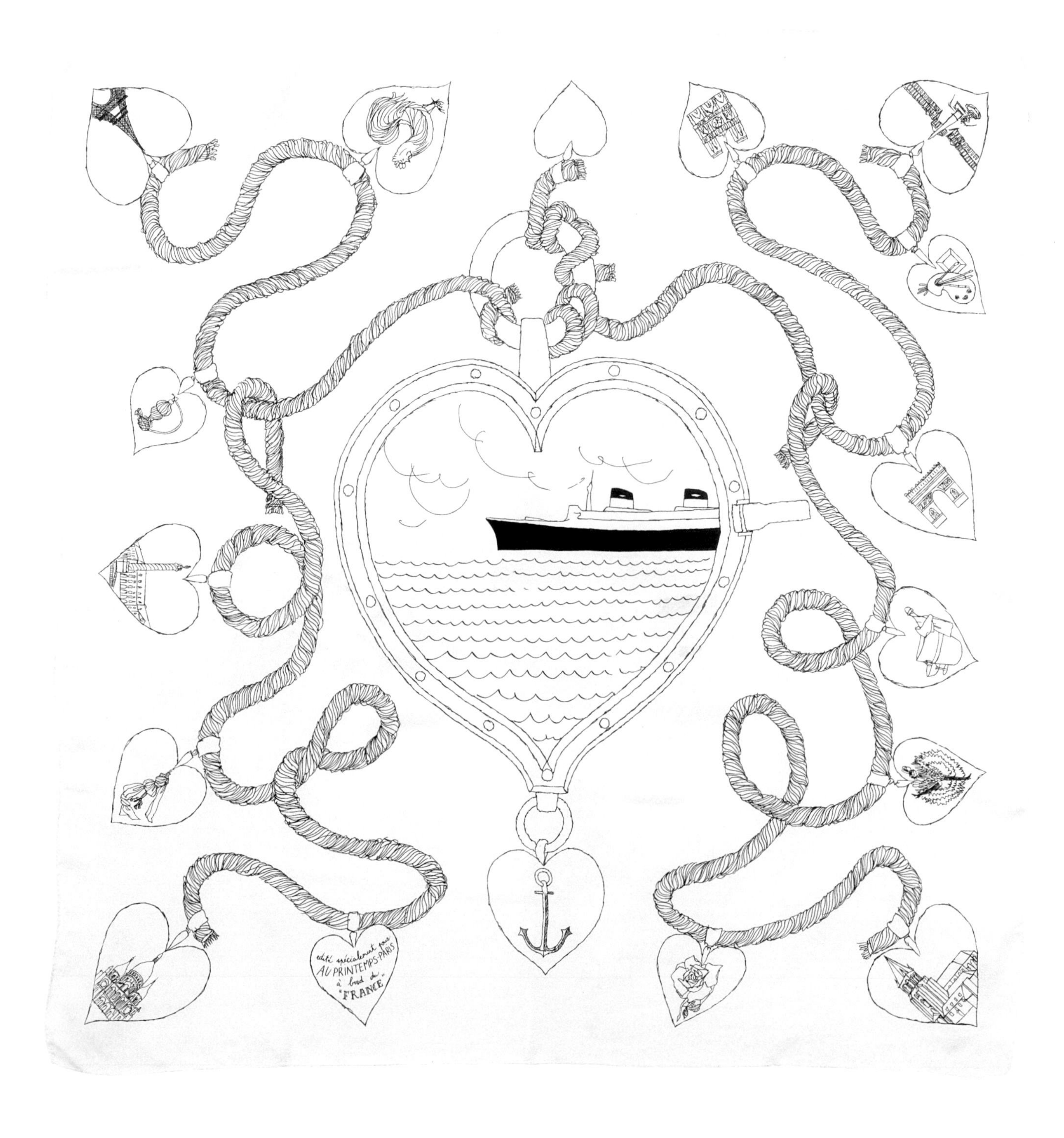

Au Printemps, soie, années 1990

Burberry, soie, années 1980

« Express Dairy », Jacqmar, soie, années 1950

« Sketchbook in Theatreland », foulard publicitaire pour les théâtres du West End à Londres, Jacqmar, soie, années 1950

« As Time Goes By », foulard promotionnel pour le disque de Bryan Ferry édité chez Virgin Records, fabricant britannique inconnu, polyester, 1999

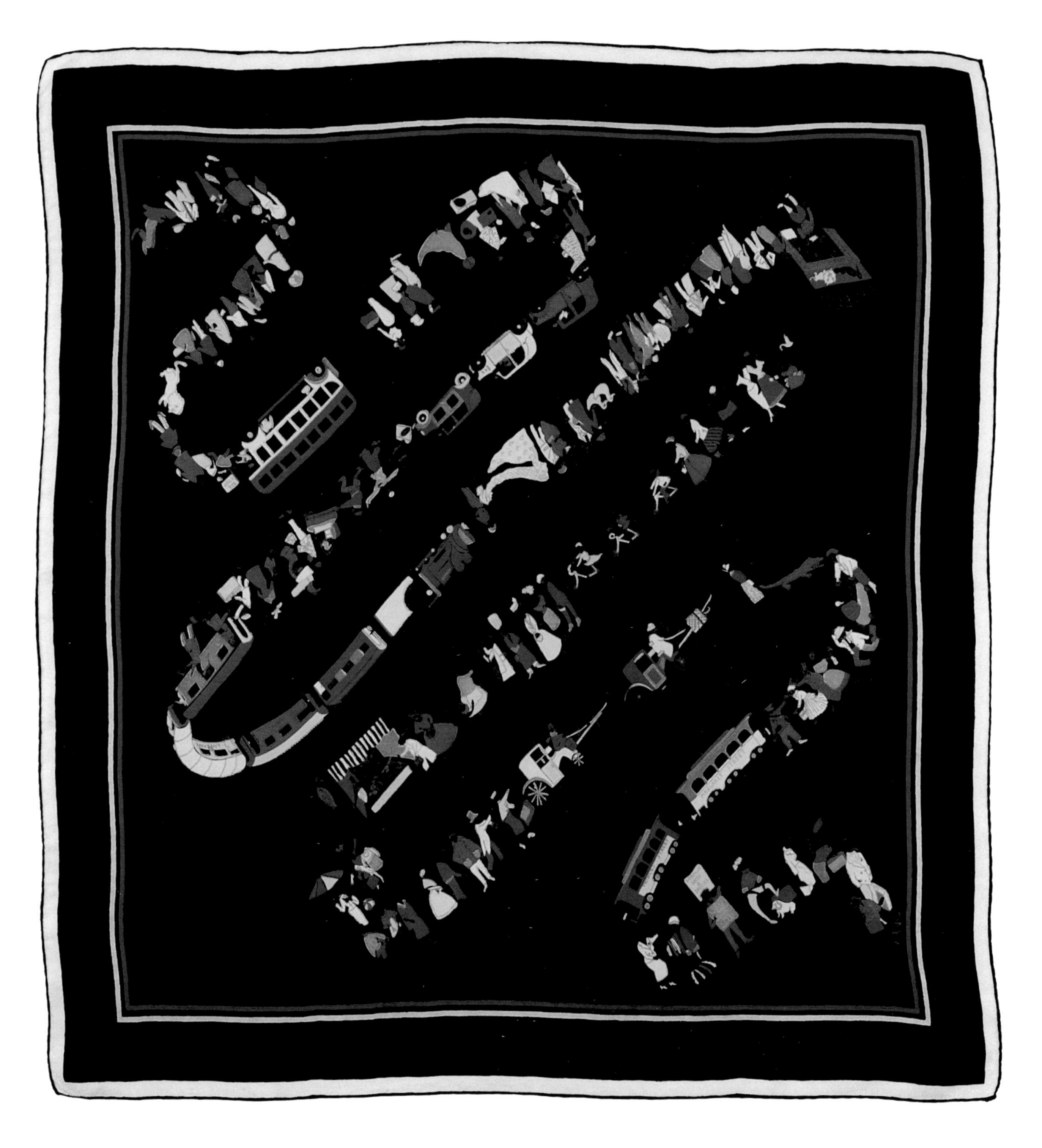

Foulard promotionnel pour la maison de mode anglaise Dorville, fabricant inconnu, soie, années 1950

Geneviève M. pour « Rémy Martin », soie, années 1970

Foulard promotionnel pour les parfums Paloma Picasso, polyester, années 1980

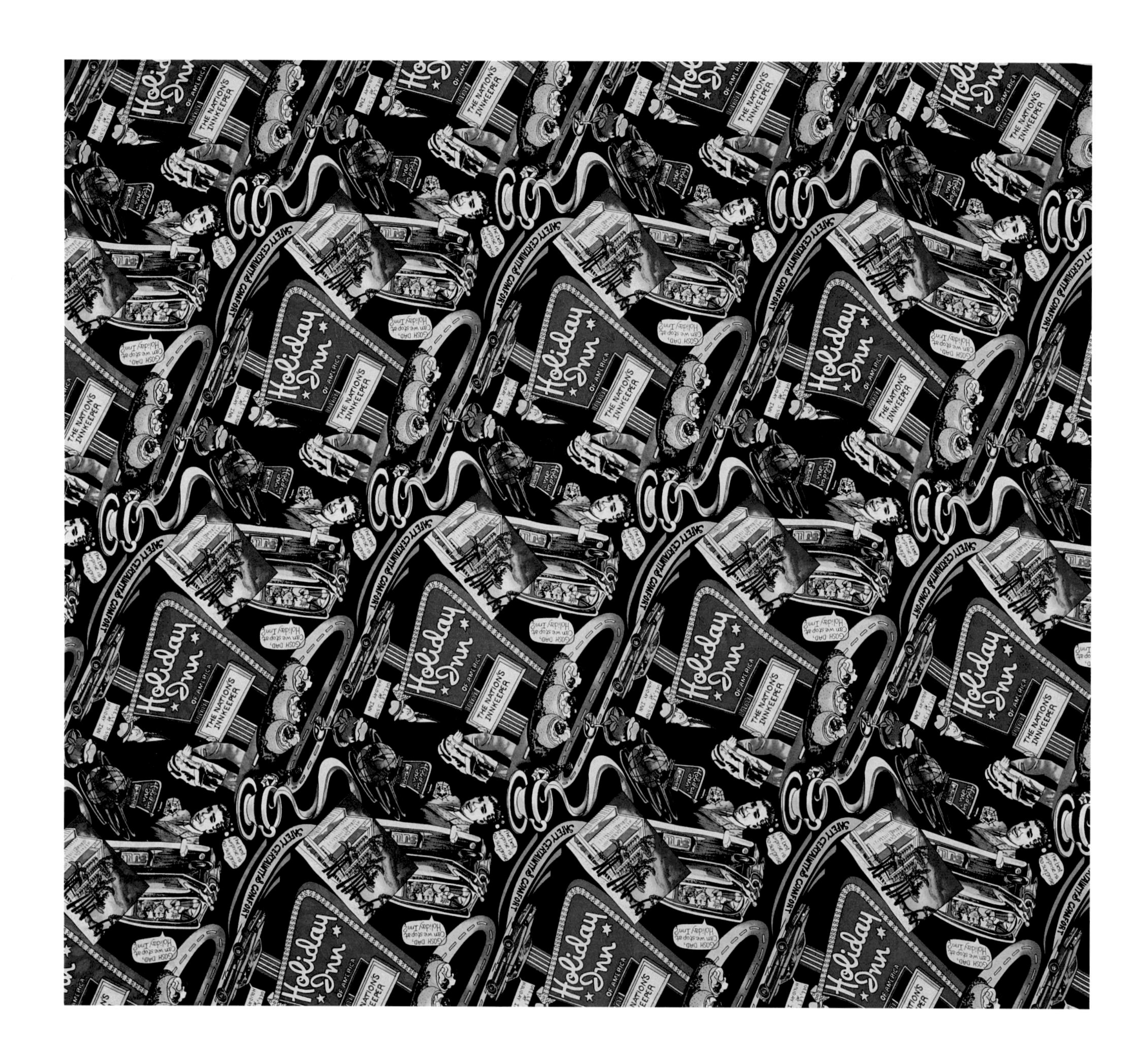

« Holiday Inn », Nicole Miller, soie, 1993

Fabricant inconnu, soie, années 1940

Fabricant inconnu, soie, années 1960

Bellotti pour Lancôme, soie, années 1970

« Rank », foulard promotionnel pour la compagnie cinématographique anglaise Rank, Richard Allan, soie, années 1960

« 21 Club », fabricant américain inconnu, soie, années 1960

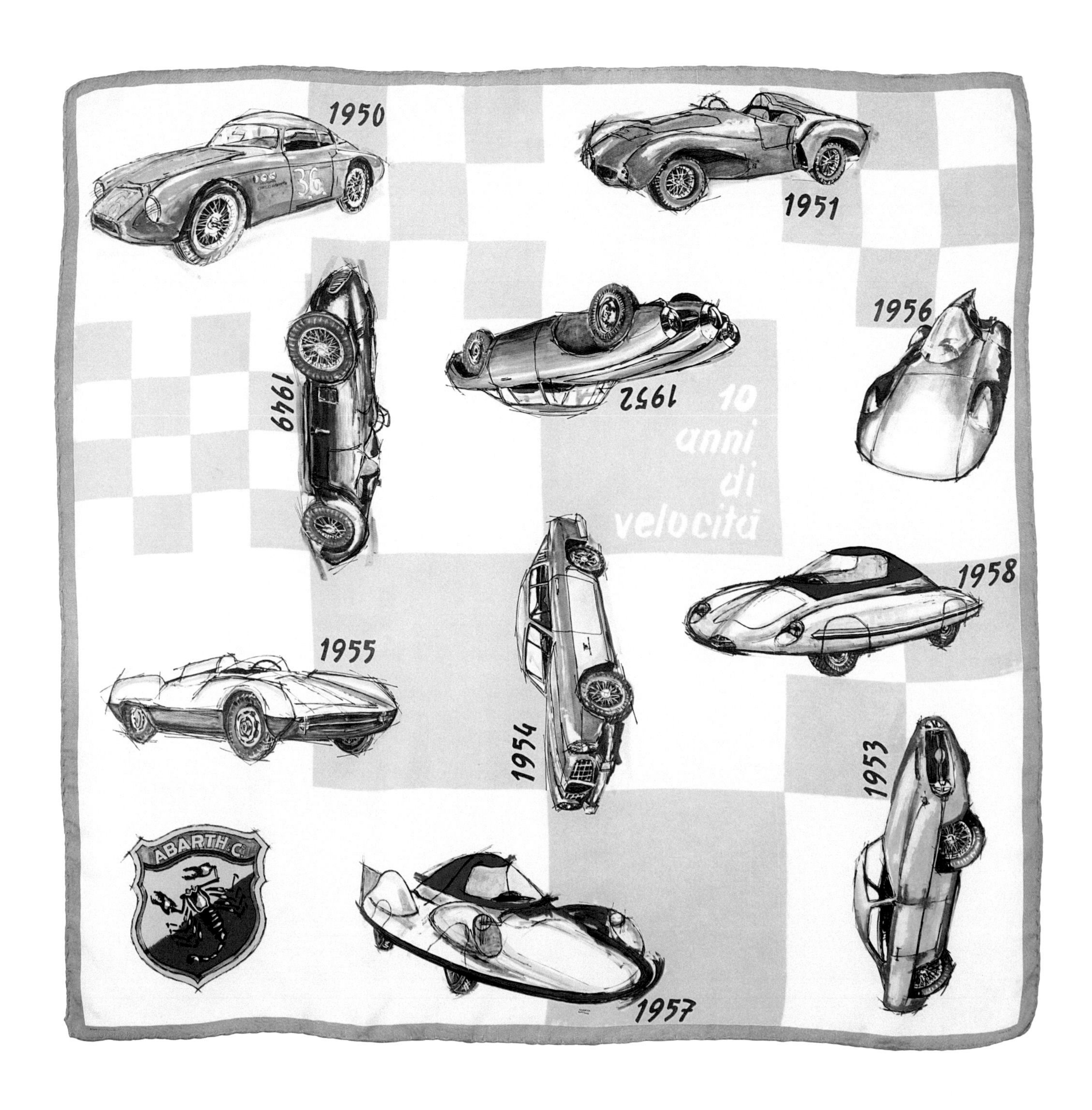

« Abarth & Co. », foulard promotionnel pour le constructeur de voitures de courses Abarth, Andrea Rossini pour un fabricant italien inconnu, soie, années 1950

« Automobile Club de l'Ouest », fabricant français inconnu, soie, 1965

Fabricant britannique inconnu, soie, années 1950

Fabricant français inconnu, soie, années 1950

« Heineken », fabricant américain inconnu, rayonne, années 1950

« Simonetta », coton, années 1960

« Spotlight », Thirkell of Bond Street, rayonne, années 1940

« Gay Times at Churchills Club », Arthur Ferrier pour un fabricant britannique inconnu, soie, années 1950

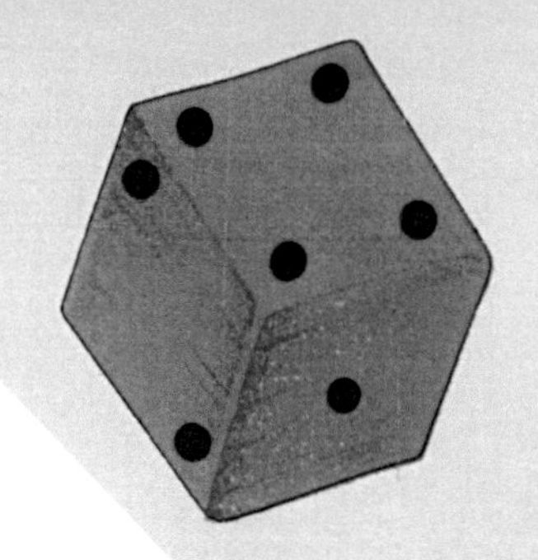

9 LES PIÈCES DE COLLECTION

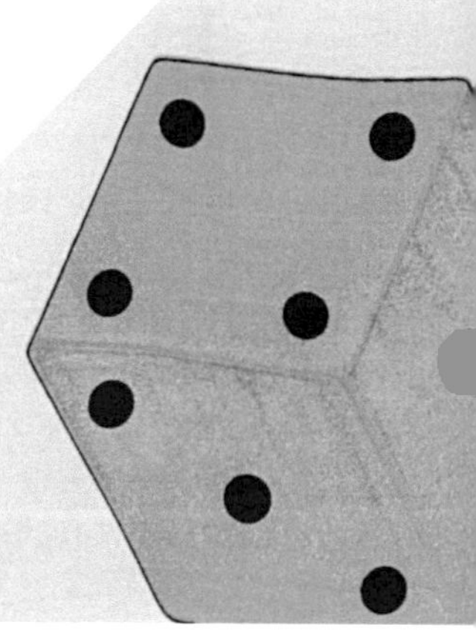

Cette page et ci-contre : fabricant américain inconnu, soie, années 1950

On n'achète pas toujours un foulard pour le porter. Les vrais collectionneurs considèrent les foulards comme des œuvres d'art, et comme un placement au même titre qu'un tableau ou une sculpture. Après avoir appris à identifier le style de chaque époque mais aussi de chaque créateur et fabricant, ils ont parfois la chance de découvrir une œuvre jusqu'alors inconnue, due à un artiste célèbre ne l'ayant pas signée. Les collectionneurs ont souvent une préférence pour tel ou tel créateur, mais ce sont quelquefois les foulards non signés et non étiquetés qui présentent les décors les plus intéressants et les plus originaux.

De nombreux collectionneurs ne s'intéressent qu'à un thème en particulier. Les décors animaliers font partie de ceux qui ont le plus de succès : des caniches stylisés des années 1950 aux magnifiques chats et chevaux représentés de manière réaliste en passant par les traditionnelles scènes de chasse au renard, au cerf ou au faisan. Les foulards vendus comme souvenirs de voyage, sur lesquels on peut admirer les sites touristiques de différents pays, sont aussi très prisés. Les foulards que les grandes compagnies aériennes distribuèrent à leurs débuts, dans les années 1950, s'apparentent à cette dernière catégorie. Ceux qui ont été édités spécialement pour accompagner un parfum ou un cosmétique sont un autre type de foulards très recherché par les collectionneurs.

Les foulards commémoratifs, souvent collectionnés pour leur dimension historique, intéressent tout autant les passionnés d'histoire que les collectionneurs de tissus anciens. À l'intérieur de cette catégorie, ce sont les foulards de propagande de la Seconde Guerre mondiale qui sont le plus recherchés à l'échelle internationale. Quelques rares foulards commémorant des événements sportifs sont très convoités par les collectionneurs qui s'intéressent aux sports en général. Les foulards édités à l'occasion de célèbres courses hippiques, sur lesquels est indiqué le nom des chevaux et des jockeys gagnants, suscitent tout particulièrement l'intérêt des collectionneurs. Les foulards fabriqués à l'occasion des Jeux olympiques ont aussi beaucoup de succès auprès de ces derniers.

Les foulards témoignant de la culture de telle ou telle époque sont particulièrement variés et fascinants. Certains collectionneurs ne s'intéressent qu'aux foulards ayant pour sujet l'opéra, le théâtre ou la danse, notamment ceux ayant servi à promouvoir des spectacles qui ont marqué leur temps ; d'autres préfèrent les foulards dont le décor évoque un sujet ayant trait aux loisirs comme les jeux de société ou l'art de la calligraphie.

Recevoir en cadeau un foulard au décor sophistiqué ou hériter d'un merveilleux foulard vintage donne souvent envie de commencer une collection. Internet facilite aujourd'hui la vie des collectionneurs : un grand nombre de modèles rares peuvent être localisés en ligne. Pour le novice cependant, acheter les foulards directement auprès du vendeur est généralement plus riche d'enseignements et plus amusant. Écumer les marchés aux puces, les ventes aux enchères, les ventes de charité et les friperies prend beaucoup de temps mais vaut toujours la peine. Étant donné que des préoccupations écologiques ont amené des créateurs à imaginer des solutions pour recycler les tissus, le foulard vintage connaît aujourd'hui de nouvelles utilisations. On le trouve ainsi intégré à des vêtements, enroulé autour de poignées de sac à main, transformé en housse de coussin dans des grands magasins ou des boutiques de décoration intérieure, quand il ne sert pas à emballer des savons. Les collectionneurs doivent donc désormais s'attendre à dénicher des foulards vintage dans les endroits les plus inattendus.

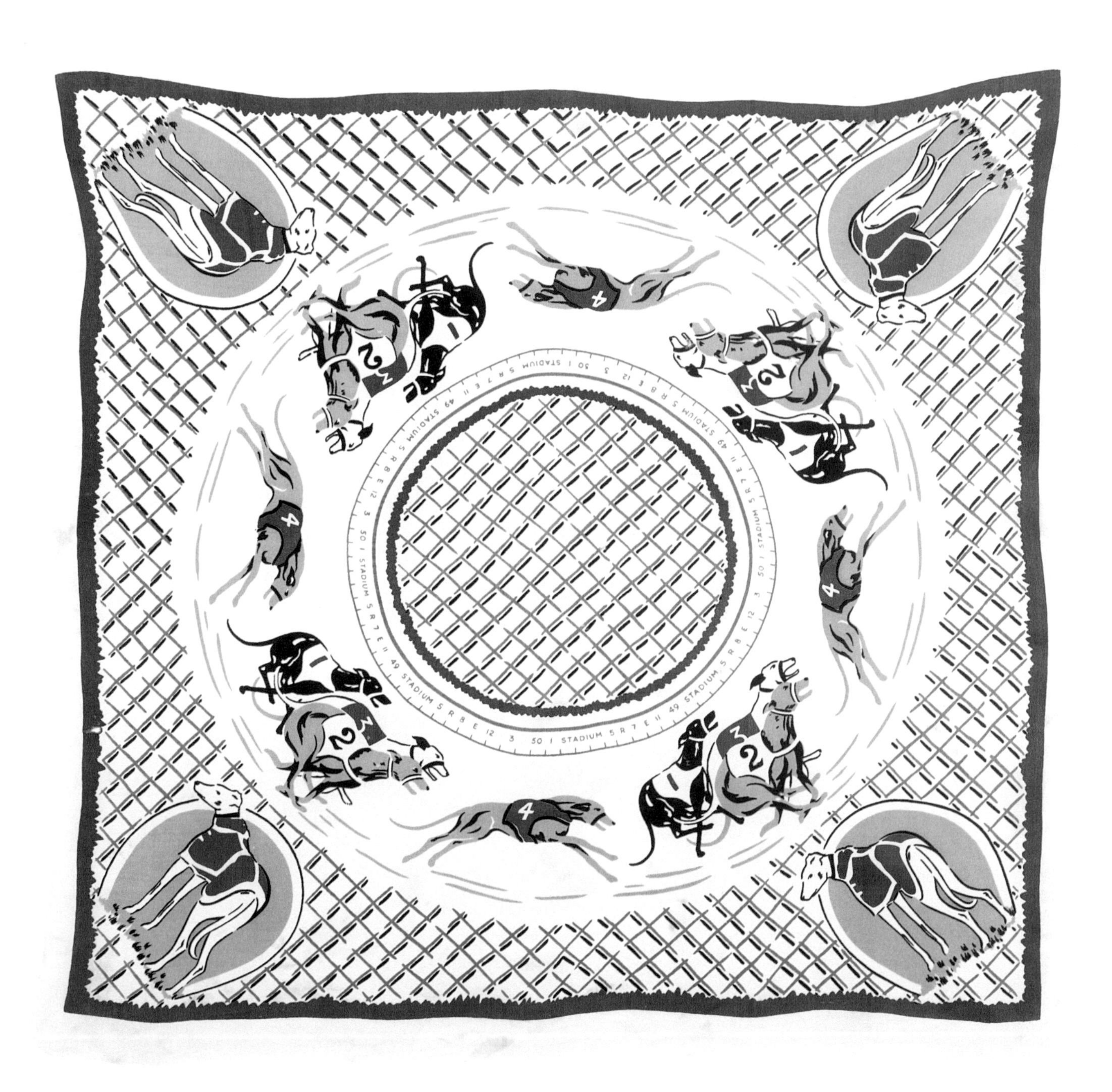

Fabricant britannique inconnu, acétate, années 1950

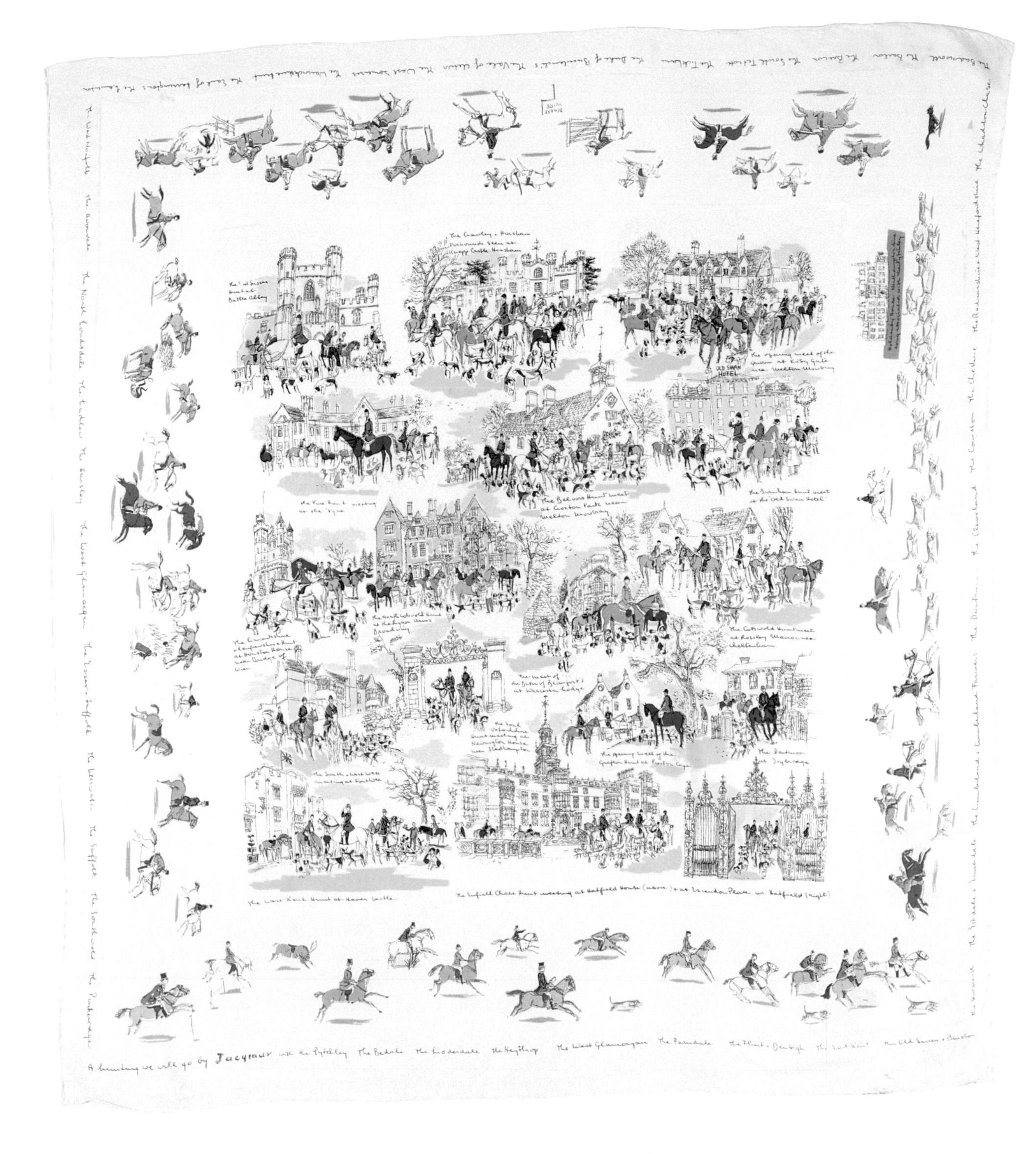

« A-Hunting We Will Go », Jacqmar, soie, années 1950

Artiste inconnu pour Bell, soie, années 1950

Bell, soie, années 1930

Fabricant britannique inconnu, soie, années 1950

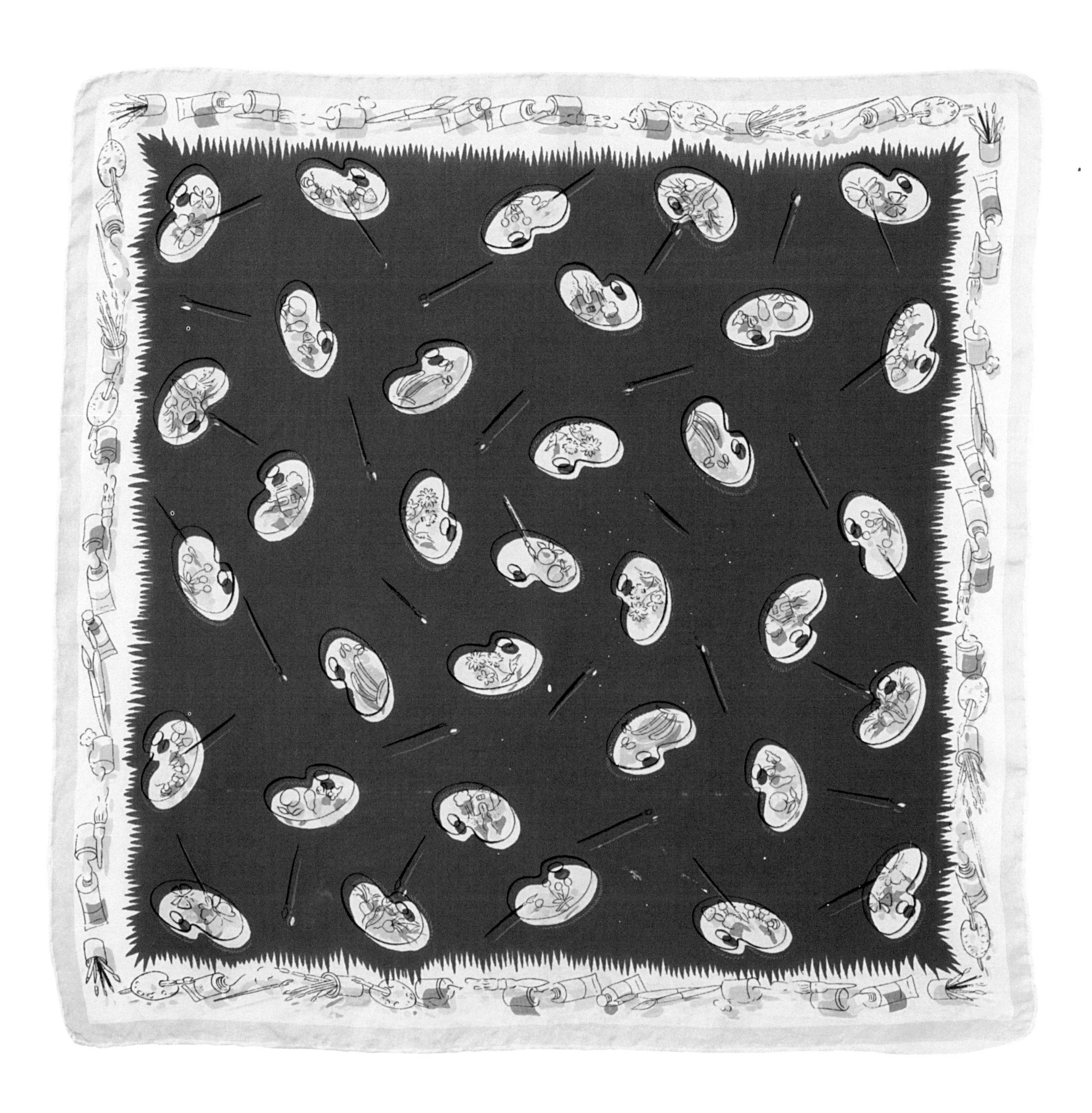

Fabricant inconnu, soie, années 1950

Gaywear, rayonne, années 1950

Fabricant américain inconnu, soie, années 1950

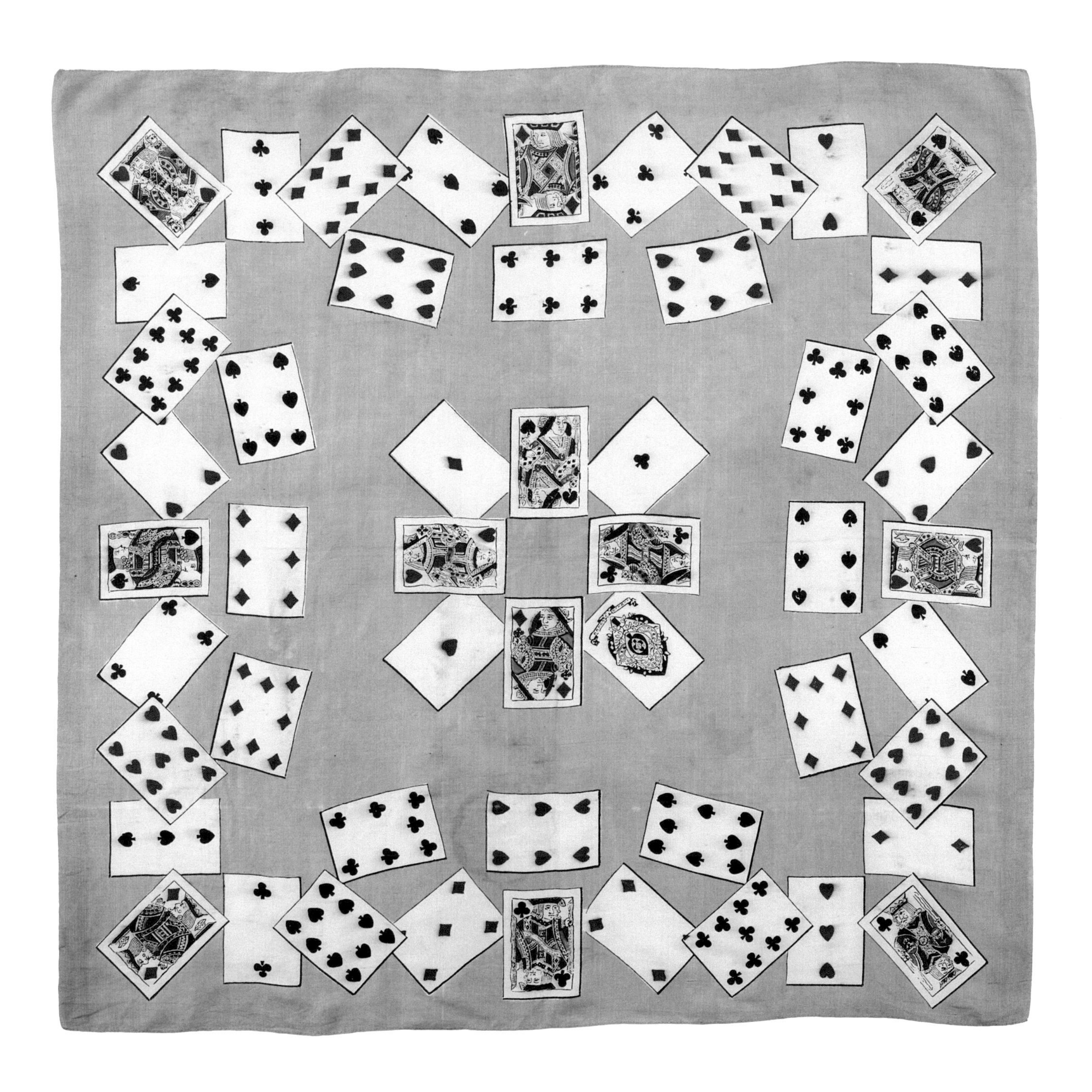

Fabricant britannique inconnu, soie, années 1950

Jacqmar, soie, années 1940

Jacqmar, rayonne, années 1940

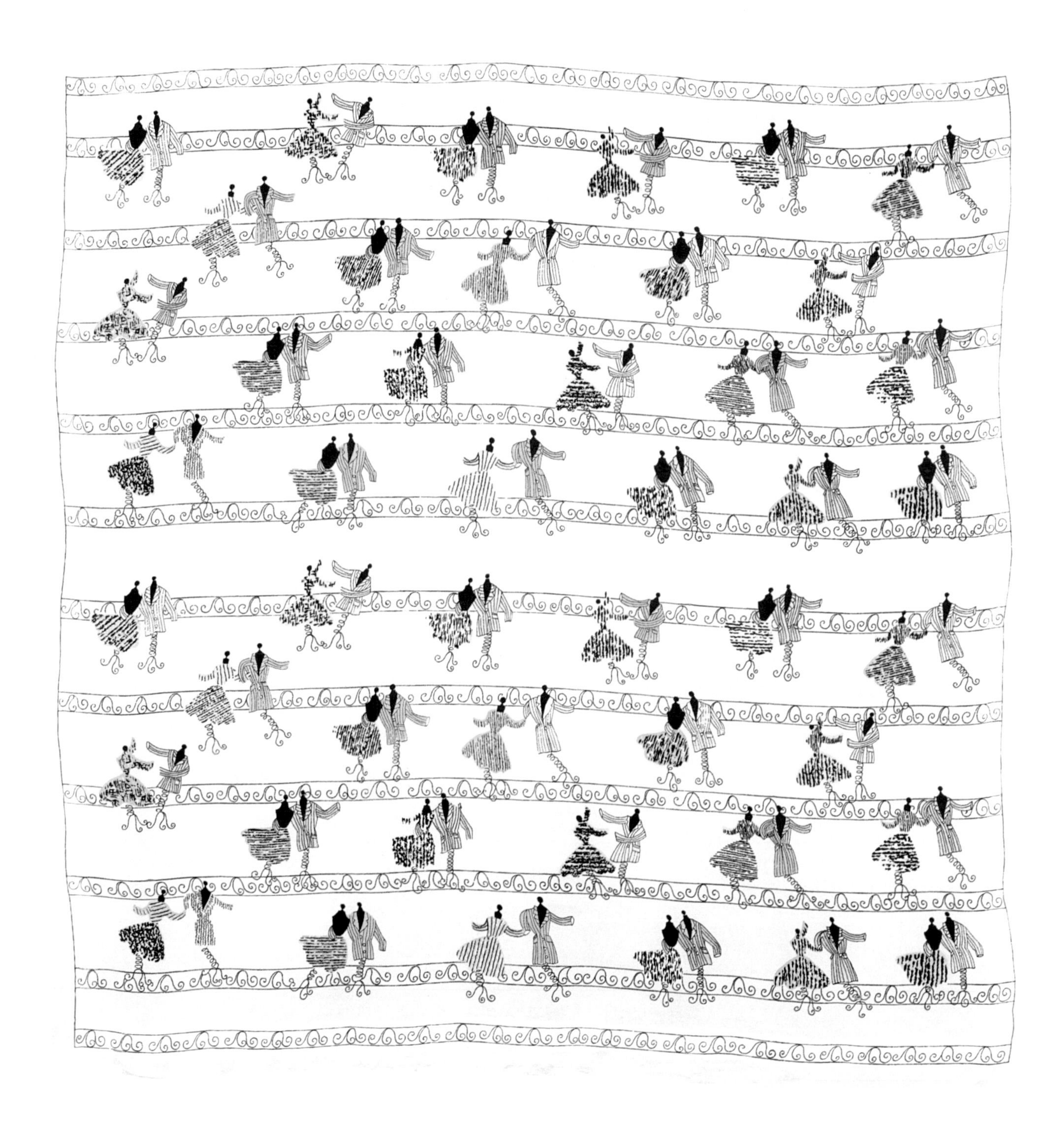

Fabricant inconnu, soie, années 1950

Fabricant américain inconnu, soie, années 1950

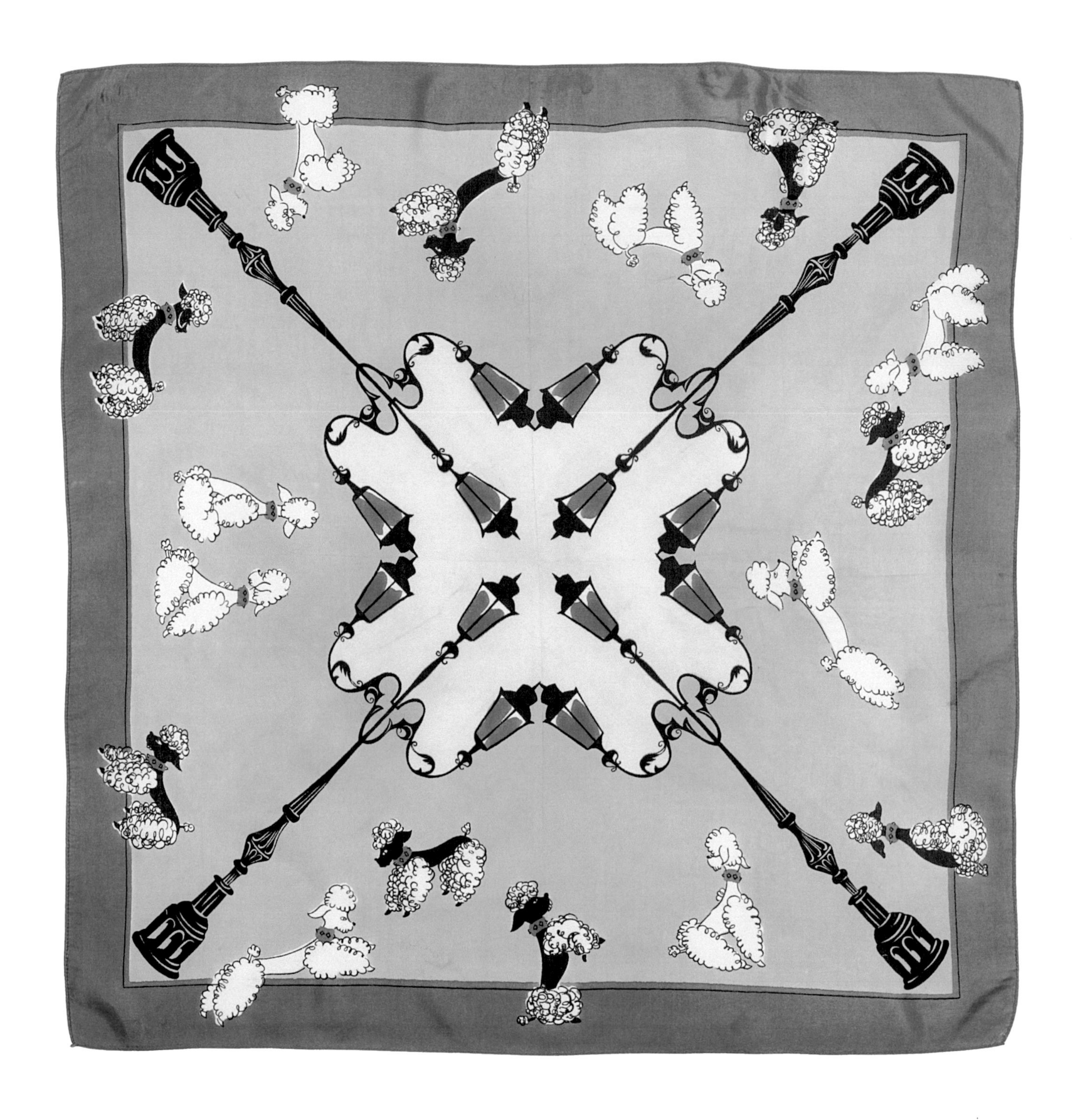

Fabricant britannique inconnu, soie, années 1950

Fabricant américain inconnu, soie, années 1950

Fabricant suisse inconnu, soie, années 1950

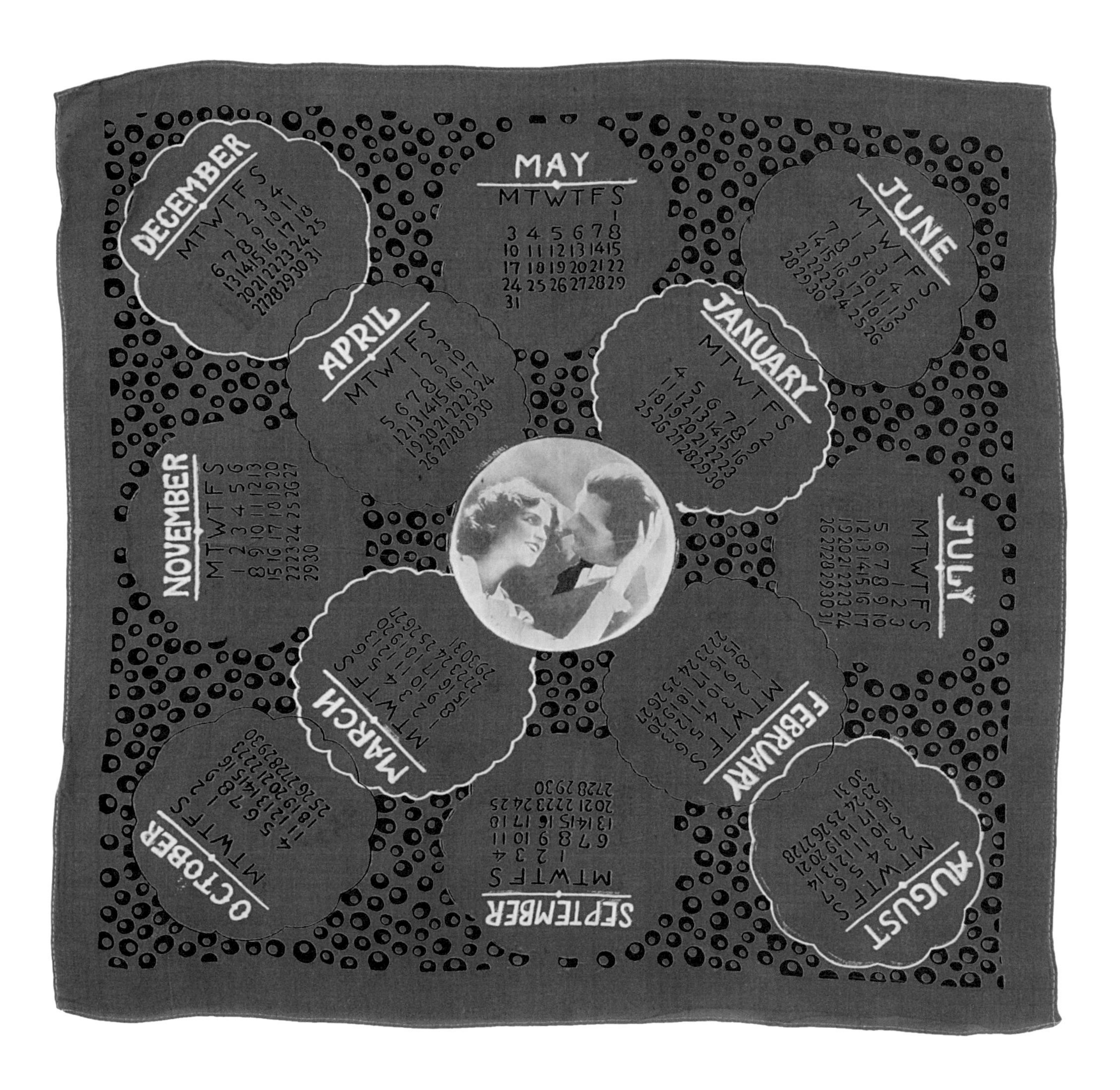

Fabricant britannique inconnu, rayonne, années 1920

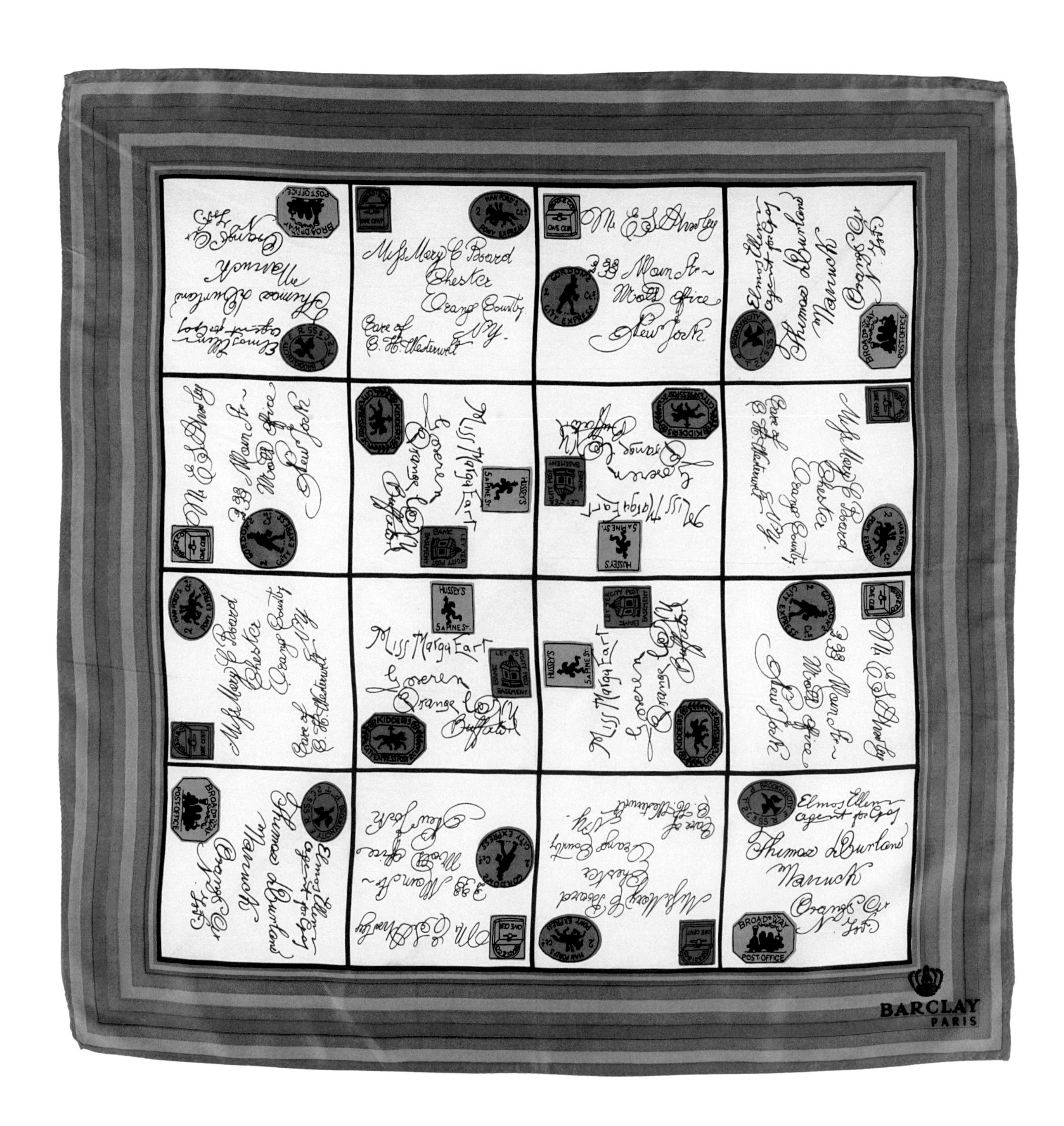

Fabricant américain inconnu, synthétique, années 1950

Fabricant britannique inconnu, rayonne, années 1950

« US Open », fabricant américain inconnu, sergé de soie, 1999

Horrockses, rayonne, années 1950

Fabricant inconnu, soie, années 1950

Jacqmar, rayonne, années 1940

Fabricant inconnu, soie, années 1950

Fabricant américain inconnu, crêpe, années 1950

CRÉATEURS, MAISONS DE COUTURE ET FABRICANTS DE FOULARDS

GLOSSAIRE

DATER ET AUTHENTIFIER UN FOULARD VINTAGE

ENTRETIEN ET CONSERVATION

OÙ TROUVER DES FOULARDS VINTAGE

BIBLIOGRAPHIE

REMERCIEMENTS

SOURCE DES ILLUSTRATIONS

INDEX

Cette page et ci-contre : Glentex, soie, années 1950

CRÉATEURS, MAISONS DE COUTURE ET FABRICANTS DE FOULARDS

ALBECK, PAT
(1930–), Royaume-Uni
La créatrice textile Pat Albeck a étudié au Royal College of Arts de Londres dans les années 1950. Avant même d'obtenir son diplôme, elle crée des tissus pour la marque de prêt-à-porter Horrockses, pour laquelle elle travaillera pendant cinq ans. Ses créations témoignent du vent d'optimisme que fit souffler sur les arts plastiques et les arts appliqués, dans tout le Royaume-Uni, le Festival of Britain organisé en 1951. Les premiers imprimés de Pat Albeck privilégient les motifs de fleurs et de plantes. Elle crée en free-lance des tissus pour la créatrice de mode Jean Muir et le couturier français Louis Féraud, ainsi que des tissus d'ameublement pour Sanderson et Heal's. Dans les années 1960, elle travaille en étroite collaboration avec le département textile des grands magasins John Lewis. Dans les années 1970, le grand public découvre son nom au travers des imprimés qu'elle crée pour le National Trust, reproduits sur des serviettes de table, de la vaisselle et des foulards dans les tonalités sourdes qui caractérisent les bâtiments historiques gérés par cette institution.

AMIES, HARDY
(1909–2003), Royaume-Uni
Directeur artistique chez Lachasse – une maison spécialisée dans les tailleurs en tweed – à partir de 1934, Hardy Amies participe activement, pendant la Seconde Guerre mondiale, à l'Utility Clothing Scheme, plan de restriction mis en place par le ministère du Commerce britannique. Il crée sa propre maison en 1946, et contribue ainsi, après la guerre, à la réputation internationale de la haute couture britannique. Dans les années 1950, il devient le couturier de la jeune reine Élisabeth II, qui lui commande des tenues pour son premier voyage officiel au Canada, puis pour ses déplacements suivants. Les foulards créés par Hardy Amies sont d'une élégance classique et discrète. La maison continue aujourd'hui de fabriquer des vêtements dans ses locaux d'origine, sur Savile Row à Londres.

ASCHER LONDON LTD
Royaume-Uni
Cette fabrique de tissus fondée à Londres en 1942 par Zika et Lida Ascher, couple de Tchécoslovaques réfugiés au Royaume-Uni, est connue pour avoir commandé à un certain nombre d'artistes de renom, comme Alexander Calder ou Henri Matisse, des décors qui furent ensuite imprimés sur des carrés de soie. Après la mort de Lida en 1983, Zika continua de créer et de fabriquer des foulards jusqu'à sa propre mort, en 1992.

BALENCIAGA, CRISTÓBAL
(1895–1972), Espagne
Fils d'un pêcheur et d'une couturière, Cristóbal Balenciaga ouvre à l'âge de 24 ans un atelier de tailleur à Saint-Sébastien. Après avoir fait faillite en 1931, il s'installe à Paris, où il fonde, en 1937, une nouvelle maison de couture. Sa palette de couleurs vives et la touche espagnole de ses élégantes robes du soir aux lignes structurées trahit l'influence des tableaux de Goya et de Vélasquez. Après la Seconde Guerre mondiale, Balenciaga se détourne, comme son confrère Christian Dior, des silhouettes structurées des années de guerre, créant des lignes plus douces et plus amples. Quand il se retire en 1968, Balenciaga déclare : « Il n'y a plus personne qui vaille la peine d'être habillé ». La maison Balenciaga a créé à ses débuts des carrés de soie bordés de soie grège. Rachetée par le groupe Gucci en 2001, elle poursuit aujourd'hui son activité. Elle a récemment édité des foulards rehaussés de perles qui s'inspirent de cultures très variées.

BALMAIN, PIERRE
(1914–1982), France
Pierre Balmain ouvre sa maison de couture à Paris en 1945. Au milieu des années 1950, il crée essentiellement des tailleurs très cintrés et des tenues du soir. Ses créations sont plébiscitées par la famille royale britannique et de nombreuses stars – Sophia Loren, Joséphine Baker ou Wallis Simpson, la duchesse de Windsor. De 1947 à 1969, Balmain crée également des costumes de cinéma. La maison Balmain continue à produire aujourd'hui une vaste gamme de foulards. Elle a récemment présenté une paire de sandales à talons hauts lacées avec des foulards interchangeables.

BEATON, CECIL
(1904–1980), Royaume-Uni
Célèbre photographe et créateur de costumes de cinéma, de théâtre et d'opéra, Cecil Beaton a été récompensé d'un Oscar pour ses costumes de *Gigi* et de *My Fair Lady*. Il est l'auteur de chroniques illustrées de croquis fantaisistes qui lui servirent à créer, à la demande de Zika Ascher, des décors de textiles et de foulards. L'un des plus célèbres est la « rose Cecil Beaton », qui s'accompagne parfois de la signature de l'artiste.

BECKFORD SILK
Royaume-Uni
Petite fabrique de textiles familiale fondée à Tewkesbury (comté de Gloucester) en 1975, cette entreprise a imprimé des foulards pour des institutions officielles comme le National Trust, qui en 1978 fut le premier client à lui passer une commande importante. Elle a fabriqué des textiles pour de nombreux artistes britanniques, dont Eduardo Paolozzi et Gillian Ayres ; elle est aujourd'hui encore en activité.

BIANCHINI-FÉRIER
France
Fondée à Lyon au tout début du XIXe siècle, la maison Bianchini-Férier, probablement la plus ancienne fabrique de soie d'Europe, produit des soies, des brocarts et des velours de grande qualité. Raoul Dufy créa pour Charles Bianchini, de 1912 à la fin des années 1920, des décors exclusifs. Après la Seconde Guerre mondiale, la société augmenta sa production de foulards : elle en fabriqua pour Hermès et Jacques Fath ainsi que, à partir de décors qu'elle proposait elle-même, des couturiers tels que Givenchy, Balenciaga, Christian Dior et Nina Ricci. Les foulards Bianchini-Férier sont aujourd'hui exposés dans un certain nombre de musées, notamment le Victoria & Albert Museum à Londres et le musée des Tissus et des Arts décoratifs de Lyon qui en possède toute une collection.

BROOKE CADWALLADER
États-Unis
Le créateur textile Brooke Cadwallader attire l'attention dans les années 1940 avec des foulards imprimés à la main dans un petit atelier situé sur Canal Street, à New York. Il crée des carrés de soie qui déclinent différents thèmes graphiques, et dont les décors figuratifs sont souvent composés de motifs et de couleurs inspirés du monde de la jungle. Au cours des années 1940 et au début des années 1950, Cadwallader prend l'habitude d'offrir à la première dame de la Maison Blanche le premier foulard de chaque série limitée. Il offre ainsi à Bess Truman un foulard au décor constitué de seize costumes indiens. À la fin des années 1950, Cadwallader se retire pour des raisons de santé, et la maison cesse son activité.

BURBERRY
Royaume-Uni
Aujourd'hui mondialement célèbre, la maison Burberry, fondée en 1856 par Thomas Burberry à Basingstoke, dans le Hampshire, était à l'origine une boutique de nouveautés. Fort de son succès, Burberry ouvrit ensuite une boutique à Londres, dans le West End. En 1911, la société adopta comme logo la figure emblématique du chevalier en selle. Le célèbre motif à carreaux Burberry, réservé au début aux doublures des imperméables, vit le jour dans les années 1920. La maison a incorporé ce motif dans les décors de ses foulards, fabriqués dans différents tissus allant de la soie au mélange mérinos et cachemire.

CARDIN, PIERRE
(1922–), Italie/France
Formé au métier de couturier en France, Pierre Cardin, d'origine italienne, travaille tout d'abord pour Paquin, Schiaparelli et Dior avant de créer une collection haute couture sous son propre nom en 1953. Il est l'un des premiers couturiers à créer une ligne de prêt-à-porter, et le premier occidental à présenter une collection au Japon. L'intérêt qu'il porte à la science-fiction est à l'origine de ses combinaisons « Cosmos » pour hommes et femmes en 1965 et de ses chapeaux en forme de casque en 1966. Plus ornementaux que le reste de ses collections, ses foulards, très variés, présentent des motifs audacieux et complexes.

COURRÈGES, ANDRÉ
(1923–), France
André Courrèges commence sa carrière chez Balenciaga en 1951. Cristóbal Balenciaga devient alors son mentor et l'aide à fonder sa maison à Paris en 1961. Courrèges, ancien pilote des forces aériennes françaises, surprend l'univers de la mode en 1964 avec sa collection « Moon Girl », composée de vêtements blancs et argentés s'inspirant de la conquête de l'espace. C'est dans cette collection que la minijupe et les bottes à talon plat – appelées depuis lors « bottes Courrèges » – font leur première apparition dans la mode. On retrouve cette esthétique résolument moderne dans les décors de ses foulards à motifs géométriques.

DELAUNAY, SONIA
(1888–1979), France
C'est à Paris que l'artiste et créatrice textile Sonia Delaunay, d'origine ukrainienne, s'établit et épousa le peintre orphique Robert Delaunay. Les décors abstraits d'avant-garde qu'elle proposa en tant que créatrice textile dans les années 1920 et 1930 s'inscrivent dans la mouvance Art déco. Les décors de ses foulards sont, à l'instar de ses peintures, à base de couleurs vives et de motifs géométriques, notamment de cercles. Elle eut d'illustres clientes, entre autres Nancy Cunard et Gloria Swanson.

DIOR, CHRISTIAN
(1905–1957), France
Après avoir été marchand d'art avant-guerre, Christian Dior ouvre sa maison de couture à Paris en 1946. En 1947, il lance la silhouette « New Look » : jupe ample cintrée à la taille et buste mis en valeur. En raison de l'abondance du tissu utilisé, cette silhouette révolutionne la mode après l'austérité et le rationnement des années de guerre. Dior meurt en 1957. Le jeune Yves Saint Laurent devient alors, à 21 ans, le directeur artistique de la maison. Marc Bohan lui succèdera en 1960. La maison Dior commença à proposer des foulards de soie à partir des années 1950. Elle fut l'une des premières maisons de couture à prendre conscience de l'intérêt qu'il y avait à vendre des foulards portant la marque de la maison : certains de ses foulards ont même un décor uniquement constitué de ses initiales, répétées dans une seule et même couleur.

DUFY, RAOUL
(1877–1953), France
Raoul Dufy est un artiste et créateur textile qui travailla en étroite collaboration avec le couturier Paul Poiret, lequel finança, en 1910, son entreprise de fabrication de tissus. Dufy imagina pour Poiret toute une série de délicieux imprimés que le couturier utilisa pour créer ses vêtements, notamment ses manteaux du soir. En 1912, après la faillite de son entreprise, Dufy travailla pour la maison Bianchini-Férier, une fabrique de soie lyonnaise, pour laquelle il créa des tissus originaux jusqu'en 1928. De 1930 à 1933, il fournit des décors textiles à une société américaine, la Maison Onondaga. Les foulards de Dufy sont facilement identifiables : ils se caractérisent, comme ses tissus, par leurs couleurs vives et de très grands motifs. À la fin de sa carrière, Dufy se consacra de nouveau exclusivement à la peinture.

ECHO
États-Unis
Fondé en 1923 par Edgar Hyman, Echo est probablement le plus ancien fabricant de foulards américain. À la fin des années 1970, la société élargit sa gamme de produits, et changea de nom, Echo Scarves devenant Echo Design Group (ce qui permet de dater les foulards). La société a produit toute une variété de foulards de formes et de couleurs diverses. Elle en fabrique aujourd'hui pour un certain nombre de grandes marques comme Ralph Lauren, Coach et Gap.

ENGLISH ECCENTRICS
Royaume-Uni
English Eccentrics est une marque fondée à Londres en 1983 par Helen David – ancienne étudiante de la Camberwell School of Art et de Central Saint Martins –, sa sœur Judy Purbeck et la styliste de mode Claire Angel. Les tissus, chemises de soie et foulards imprimés à la main par cette maison sont connus pour leurs décors éclectiques de style Renaissance ou baroque.

FENDI
Italie
À l'origine, la maison Fendi était une entreprise de fourrure et de maroquinerie fondée à Rome, en 1925, par Adele Casagrande et son époux Eduardo Fendi, rejoints en 1946 par leurs cinqs filles. L'entreprise familiale ne tarda pas à se faire connaître au travers de ses luxueuses collections de fourrures et de ses accessoires en cuir glamour. En 1968, la maison Fendi demanda à Karl Lagerfeld de collaborer avec elle pour créer une série de collections. C'est à lui que la maison doit son logo, le double F encore utilisé aujourd'hui. Dans les années 1990, la fourrure étant passée de mode, Fendi commença à recentrer sa production sur les foulards et d'autres accessoires comme les sacs à main.

FERRAGAMO, SALVATORE
(1898–1960), Italie
Salvatore Ferragamo est un créateur de chaussures célèbre pour avoir inventé la chaussure à plateforme dans les années 1930. Pour répondre à la pénurie engendrée par la Seconde Guerre mondiale, il intégra dans ses modèles des matériaux inhabituels comme le raphia, le bois, le liège et la cellophane. Ferragamo dessina ses premiers foulards de soie à la fin des années 1950, privilégiant des décors à base d'animaux ou de monuments italiens. Ceux fabriqués par la maison Ferragamo dans les années 1970 sont constitués d'animaux et de fleurs exotiques.

FIORUCCI, ELIO

(1935–), Italie
Elio Fiorucci ouvre sa première boutique à Milan en 1967. Il y présente des vêtements inspirés de la culture américaine des années 1950, comme des jeans et des T-shirts, tout en s'employant à faire connaître des créateurs de mode britanniques comme Ossie Clark ou Zandra Rhodes, dont le nom est associé au Londres des années 1960. Dans les années 1970 et 1980, Fiorucci se rapproche du milieu disco du Studio 54 à New York, et commercialise des blue jeans en stretch avec la marque apparente ainsi que des créations plus controversées telles que le string et le monokini. Par ailleurs, il remet au goût du jour l'imprimé léopard, et lance une ligne de vêtements et d'accessoires qui, avec ses personnages Walt Disney, a beaucoup de succès. De nombreux foulards Fiorucci s'inspirent de l'œuvre de figures légendaires du Pop Art comme Roy Lichtenstein ou Andy Warhol. Des décors plus récents, aux couleurs vives et aux imprimés audacieux, s'inscrivent dans la lignée de cette tradition.

GUCCI, GUCCIO

(1881–1953), Italie
C'est en 1921 que Guccio Gucci fonde la marque Gucci, spécialisée dans la fabrication d'articles en cuir. Quelques années plus tard, il commence à produire, en plus des luxueux bagages et articles de maroquinerie qui font sa réputation, un certain nombre d'accessoires de mode, dont des foulards et des sacs à main. Ses premiers foulards ont des décors empruntés à l'univers de l'équitation. Le motif constitué de deux G imbriqués l'un dans l'autre et les décors floraux de Vittorio Accornero, qui firent leur apparition sur les foulards dans les années 1950, sont aujourd'hui encore produits par la maison. Les foulards dessinés par Accornero portent généralement sa signature ; les autres, simplement le nom ou le logo de la maison Gucci.

HALSTON, ROY FROWICK

(1932–1990), États-Unis
Après avoir travaillé comme assistant chez un modiste, Halston ouvre son propre salon de modiste en 1968, tout en commençant à créer des vêtements. Il compte parmi ses clientes Ali McGraw, Liza Minnelli et Jacqueline Kennedy, dont il crée les chapeaux tambourins. Dans les années 1970, son prêt-à-porter en soie et jersey devient emblématique du milieu disco qui gravite autour du Studio 54 à New York. Halston produit une vaste gamme de foulards aux décors animaliers ou composés de motifs frappants. Il utilise également des foulards comme éléments décoratifs de ses robes et combinaisons. En 1984, il est prié de quitter la maison qu'il a fondée, en partie en raison de son incapacité à confier la direction artistique à de plus jeunes créateurs. Il meurt quelques années plus tard du SIDA, mais la maison Halston est toujours présente dans l'industrie de la mode.

HEIM, JACQUES

(1899–1967), France
Le fourreur et couturier Jacques Heim a commencé sa carrière dans les années 1920 en dirigeant l'atelier de fourrure de ses parents avant d'ouvrir sa propre maison de couture dans les années 1930. Dans les années 1950 et 1960 sont fabriqués des foulards portant son nom, notamment des modèles qui présentent des motifs d'éclaboussures rappelant les tableaux de Jackson Pollock. Heim meurt en 1967, et sa maison de couture ferme peu de temps après, en 1969.

HERMÈS

France
La maison Hermès, fondée à Paris en 1837, était à l'origine spécialisée dans les articles de sellerie. Un siècle plus tard, en 1937, elle produit son premier carré de soie, une création de Robert Dumas, le gendre d'Émile Hermès, le plus jeune fils du fondateur. Aujourd'hui, Hermès demeure une entreprise familiale. Son carré en sergé de soie et ses sacs à main en cuir font partie des articles de la maison les plus demandés. On reconnaît immédiatement un foulard Hermès à son style et à sa qualité. La maison a créé plus de 2 500 foulards depuis 1937, à raison de deux nouvelles collections par an. Leurs décors originaux sont dus à plus de 50 créateurs originaires du monde entier.

HORROCKSES LTD

Royaume-Uni
Cette maison de prêt-à-porter fut fondée en 1946 à Preston (Lancashire) par James Cleveland Bell, un fabricant de tissus en coton. Bell demanda à plusieurs artistes britanniques, notamment à Graham Sutherland, Henry Moore, Eduardo Paolozzi et John Piper, de créer des décors pour ses tissus. Pat Albeck commença à lui livrer des décors en 1952. La société reprit sur des foulards de sa fabrication un grand nombre des motifs imprimés sur ses tissus. La maison cessa son activité en 1983.

JACQMAR LONDON LTD

Royaume-Uni
Fondée en 1932 par Joe Lyons, dont l'objectif initial était d'approvisionner en tissus les grands noms de la mode, la maison Jacqmar recentre sa production sur les foulards dès les années 1940. Dans les années 1950, elle produit d'innombrables modèles très variés dont la conception est confiée à des créateurs textiles salariés ou free-lance. Richard Allan, un des créateurs salariés de la maison, rachète l'entreprise dans les années 1950, mais des foulards continuent à être fabriqués sous le nom de Jacqmar jusque dans les années 1970.

JOHNSON, BETSEY

(1942–), États-Unis
Cette créatrice américaine, inspirée par le mouvement punk, débute sa carrière à la fin des années 1960 à New York, où elle fait plus ou moins partie du cercle d'Andy Warhol. Elle gère plusieurs boutiques et travaille comme styliste pour Alley Cat avant de lancer sa propre marque en 1978. Dans ses créations fantaisistes, très féminines et franchement sexy, figurent souvent un « shocking pink », un imprimé léopard ou les deux lèvres rouges de son logo. On retrouve la dimension ludique de ses créations dans ses foulards, où Betsey Johnson s'amuse à jouer avec les textures, les motifs et les volumes.

KEEFE, TAMMIS

(1920–1960), États-Unis
Tammis Keefe a commencé sa carrière en 1953 en dessinant des foulards pour la maison Kimbal. Elle fut l'une des premières à signer ses créations. On retrouve ainsi sa signature ou son pseudonyme, « Peg Thomas », sur le linge de maison, les mouchoirs et les foulards dont elle a créé les décors. Ceux-ci sont facilement identifiables : généralement composés d'images naïves et fantaisistes, empruntées au règne animal ou végétal et imprimées dans des couleurs sourdes, ils reflètent l'humeur optimiste en même temps que conservatrice de l'Amérique des années 1950.

KREIER

Suisse
Kreier, une fabrique de soie suisse fondée en 1923, est toujours en activité sous le nom de Doerig & Kreier. Dans les années 1950, l'entreprise commandait les décors de ses foulards élégants à des

artistes en vogue comme Xavier de Poret et Jean Peltier. La société était aussi connue pour ses pochettes de soie. Ayant recentré sa production depuis quelques décennies sur le linge de maison, les tissus d'ameublement et les articles fantaisie, elle ne produit plus de foulards.

LACROIX, CHRISTIAN

(1951–), France

Christian Lacroix commence sa carrière en 1978 comme illustrateur pour Hermès. Il dessine ensuite pour Guy Paulin avant de devenir le directeur artistique de la maison Patou, où il reste six ans. En 1987, il ouvre sa propre maison de couture à Paris ; il est alors le premier créateur de mode à le faire depuis 1965. Sa fameuse jupe à pouf fait partie de sa première collection. Au début, les créations de Christian Lacroix, hautement romantiques et théâtrales, reflètent tant la formation universitaire de cet historien de la mode que ses racines provençales. C'est en 1989 qu'il commence à créer des foulards. Comme le reste de sa production, ceux-ci se caractérisent par un subtil mélange de couleurs flamboyantes, de broderies décoratives et de belles textures.

LAGERFELD, KARL

(1938–), Allemagne

Karl Lagerfeld, l'un des créateurs contemporains les plus prolifiques tant dans le domaine de la haute couture que dans celui du prêt-à-porter, a créé en free-lance des collections pour un grand nombre de maisons de couture, dont Balmain, Patou, Chloé, Fendi, Krizia et Chanel. Après avoir commencé en 1955 comme apprenti chez Pierre Balmain, puis avoir travaillé pour d'autres maisons, il obtint en 1983 le poste le plus prestigieux qu'on puisse imaginer dans le monde de la mode, celui de directeur artistique chez Chanel, où il fut chargé de dépoussiérer l'image guindée de la maison qui prévalait depuis la mort de Coco Chanel. Un an plus tard, il lança sa propre marque de prêt-à-porter, tout en continuant à créer pour d'autres maisons de mode. Lagerfeld n'a pas son pareil pour créer des modèles surprenants en utilisant différents types de tissus et textures. Les foulards fabriqués sous sa griffe ont des décors classiques à base de motifs géométriques.

LIBERTY OF LONDON

Royaume-Uni

Les grands magasins britanniques Liberty, aujourd'hui connus dans le monde entier, ont pour ancêtre une petite boutique – l'East India House – ouverte en 1875 sur Regent Street. Dans les années 1920, Liberty, qui produisait un nouveau modèle de foulard tous les ans, ouvrit son propre atelier de création tout en faisant appel à de nombreux grands créateurs free-lance. Les magasins Liberty ont aujourd'hui encore un rayon de foulards conséquent, offrant un vaste choix d'imprimés : les motifs vont du petit insecte à la fleur stylisée en passant par des cachemires et des compositions florales plus classiques.

McNISH, ALTHEA

(active de 1957 à 1980), Royaume-Uni

La créatrice textile Althea McNish, originaire de Trinité-et-Tobago, obtient son diplôme du Royal College of Art de Londres en 1957. Elle commence par travailler en free-lance pour Liberty, pour qui elle crée de grands imprimés fleuris très colorés inspirés de la culture caribéenne, qui contrastent fortement avec les foulards « Tana Lawn », plus sobres, proposés par Liberty à la fin des années 1950 et dans les années 1960. Elle dessine par la suite des imprimés pour d'autres grandes marques de foulards britanniques et américaines, notamment pour Ascher, Jacqmar, Richard Allan et Vera.

MILLER, NICOLE

(1952–), États-Unis

La créatrice américaine Nicole Miller a présenté sa première collection en 1991. Elle est connue pour son utilisation originale de la couleur et des imprimés. Ses vêtements et ses foulards ont souvent un décor fantaisiste, où les produits de consommation courante sont des motifs récurrents.

MOSCHINO, FRANCO

(1950–1994), Italie

Franco Moschino travaille tout d'abord comme illustrateur pour Gianni Versace avant d'ouvrir sa propre maison de mode en 1983. Non conformiste, excentrique et influencé par l'univers surréaliste, Moschino crée des foulards en soie et des vêtements dont les décors humoristiques s'accompagnent volontiers de jeux de mots. Après sa mort, sa maison continuera de produire des foulards sous son nom, moins recherchés aujourd'hui par les collectionneurs que ceux qui ont été fabriqués de son vivant.

MUIR, JEAN

(1928–1995), Royaume-Uni

La créatrice britannique Jean Muir entre en 1950 chez Liberty, où elle est employée au stock avant d'intégrer le département du prêt-à-porter. En 1956, elle est employée comme styliste chez Jaeger puis, en 1962, devient directrice artistique de la nouvelle marque Jane & Jane créée par David Barnes. Elle commence à sortir des collections sous son propre nom en 1966. Elle crée alors des vêtements en jersey, en cuir ou en daim d'une grande simplicité et d'un classicisme intemporel, qu'elle décline dans des couleurs subtiles et généralement sombres. Ses foulards sont assortis à ses collections de vêtements. Après sa mort, son mari, Harry Leuckert, prendra la direction de la maison.

NAPPER, HARRY

(1860–1940), Royaume-Uni

Harry Napper, aquarelliste mais aussi créateur de meubles, d'articles de ferronnerie, de papiers peints et de textiles, entra au Silver Studio en 1893, où ses décors floraux, qui s'inscrivaient dans la lignée des mouvements Art nouveau et Arts & Crafts en vogue à la fin du XIXe siècle, attirèrent l'attention. Il devint le directeur artistique du Silver Studio après la mort de son fondateur en 1896, et continua de vendre ses créations au studio après son départ en 1898. Il fournit également des décors à des fabricants de textiles comme Tunrbull & Stockdale ou Alexander Morton et à un certain nombre de manufactures implantées en France, où ses créations avaient beaucoup de succès. Ses décors, très facilement identifiables, sont composés de motifs floraux.

NEUMANN, VERA

(1907–1993), États-Unis

Vera Neumann fonda en 1945 à New York, en collaboration avec son mari, l'entreprise de tissus Printex. On dit qu'elle fut l'une des premières parmi les créateurs textiles à signer ses foulards et à les protéger par un copyright. À partir des années 1950, ses foulards portèrent en effet non seulement sa signature (« Vera ») et le logo de sa société (une coccinelle) mais aussi le symbole indiquant qu'il s'agissait de modèles déposés. Elle produisit une vaste gamme de décors extrêmement variés, et sa société conserva sa position de leader dans la fabrication du foulard même après sa mort, survenue en 1993.

PICASSO, PALOMA

(1949–), France/États-Unis

Paloma Picasso, dernière fille du grand peintre cubiste Pablo Picasso, commença sa carrière comme créatrice de costumes de théâtre. Suite au succès des colliers de strass qu'elle avait fabriqués en complément de ses costumes pour les Folies Bergères à Paris, elle décida en 1968 de se former à la fabrication de bijoux. Ses premières créations furent présentées avec une collection d'Yves Saint Laurent en 1969. Elle dessina ensuite pour Tiffany & Co. Paloma Picasso est également connue pour ses parfums. Un grand nombre de foulards en soie ou en synthétique qu'elle produisit dans les années 1980 ont été fabriqués pour accompagner ses parfums. Elle a également créé des foulards dont le décor abstrait est inspiré de ses bijoux.

POIRET, PAUL

(1879–1947), France

Paul Poiret, un des couturiers les plus novateurs du XXe siècle, créa au début des années 1900 une silhouette dont la simplicité et la modernité ont aujourd'hui encore une incidence sur la mode. Il travailla avec Raoul Dufy, qui partageait son intérêt pour les motifs traditionnels européens et les tissus orientaux. Ensemble, ils mirent au point de nouvelles techniques d'impression qu'ils utilisèrent pour fabriquer leurs foulards. Incapable de s'adapter au changement de goût de la clientèle intervenu après la Première Guerre mondiale, la maison cessa son activité en 1929.

PRINTEX *voir* NEUMANN, VERA

PUCCI, EMILIO

(1914–1992), Italie

Emilio Pucci commence à dessiner des vêtements et des décors de tissu dans les années 1950, utilisant comme atelier le palais familial situé à Florence. Ses décors, composés de couleurs vives et de motifs tourbillonnants, sont si caractéristiques qu'il est facile d'identifier ses foulards. Ce créateur, qui est le premier à intégrer sa signature dans ses imprimés, joue par ailleurs un rôle de pionnier dans l'utilisation du stretch et des tissus synthétiques. Après sa mort, sa fille, Laudomia Pucci, reprendra la direction artistique de la maison.

QUANT, MARY

(1934–), Royaume-Uni

La créatrice anglaise Mary Quant, qui ouvrit la boutique Bazaar sur King's Road à Londres en 1955, appartient à la génération des créateurs britanniques qui émergèrent dans les années 1960. Elle est connue pour avoir contribué à faire de la minijupe un puissant symbole des « Swinging Sixties ». Pour identifier ses créations, elle utilisa comme logo une marguerite qui ne tarda pas à être connue dans le monde entier. Ses foulards qui eurent le plus de succès sont les modèles triangulaires en coton ornés de la marguerite caractéristique de sa production ou d'imprimés fleuris assez basiques.

RHODES, ZANDRA

(1940–), Royaume-Uni

Zandra Rhodes, créatrice de mode et designer textile britannique, lance sa propre marque en 1969 juste après avoir obtenu le diplôme du Royal College of Art. Sont notamment caractéristiques de sa production ses robes romantiques en tulle et mousseline de soie qui, ornées de perles, de sequins et de plumes, semblent tout droit sorties d'un conte de fées. S'inspirant beaucoup des styles punk et hippie ainsi que de l'habillement traditionnel de diverses populations à travers le monde, les décors sérigraphiés de ses foulards comportent souvent des zigzags, des larmes, des coquillages et des motifs tourbillonnants.

RICCI, NINA

(1883–1970), France

Nina Ricci, originaire de Turin, fonde sa maison de couture avec son fils, Robert, en 1932 à Paris. Les modèles qu'elle propose sont élégants, bien coupés, raffinés et ont une sophistication typiquement française. La plupart des grands foulards Nina Ricci sont créés en complément des parfums de la maison. Leur décor comprend souvent le motif des deux colombes qui, représentatif de l'amour et de la tendresse, orne le flacon de L'Air du Temps. Le mode de représentation de ces colombes évolue au fil des années, le motif aux formes douces des années 1950 finissant par céder la place à un motif plus stylisé. La maison continue de prospérer en restant fidèle à son éthique d'origine, tout en recentrant de plus en plus son activité sur les parfums et les accessoires.

RICHARD ALLAN

Royaume-Uni

La fabrique de foulards britannique Richard Allan porte le nom de son fondateur, un ancien créateur textile de Jacqmar qui racheta la maison dans les années 1950 et lui donna son nom. Les décors d'Allan sont souvent composés de motifs graphiques aux couleurs vives, notamment ceux des années 1960 et 1970, époque à laquelle la production de foulards de la maison atteignit des sommets. À la fin des années 1980, la société fut rachetée par Jane Shilton, une marque d'accessoires britannique.

ROUFF, MAGGY

(1898–1971), France

La couturière d'origine belge Marguerite-Pierre Besançon de Wagner, plus connue professionnellement sous le nom de Maggy Rouff, fonda sa maison à Paris en 1929. Elle créa du sportswear, des tenues de jour et de la lingerie, mais est surtout connue pour ses robes du soir drapées intégrant des tissus normalement utilisés en lingerie. Lorsqu'elle se retira en 1948, sa fille, Anne-Marie Besançon de Wagner, reprit la maison de couture. Celle-ci ne réussit cependant pas son passage au prêt-à-porter et dut fermer à la fin des années 1960. Alors que Maggy Rouff est connue pour avoir privilégié la simplicité, ses décors de foulard présentent souvent un grand nombre de détails minutieux.

SAINT LAURENT, YVES

(1936–2008), France

C'est en remportant un concours, en 1954, qu'Yves Saint Laurent, né en Algérie, attire l'attention de l'univers de la mode. L'année suivante, il est engagé par Christian Dior. Après la mort de ce dernier, Saint Laurent devient, à 21 ans, le directeur artistique de la maison. Dans la première collection qu'il présente, il innove avec la ligne « trapèze », controversée car elle rompt avec la silhouette typiquement féminine des créations Dior. En 1962, Saint Laurent ouvre sa propre maison de couture. En 1966, sa collection « Rive Gauche » fait de lui un des premiers couturiers à être présents dans le secteur du prêt-à-porter. Parmi ses autres innovations, citons ses robes « Mondrian » en 1965 ainsi que ses sahariennes et vestes de smoking pour femmes dans les années 1970. Ses foulards, au décor animalier ou composé de variantes du logo de la maison, s'inscrivent souvent dans la lignée de ses collections. Saint Laurent demeurera l'un des plus grands couturiers jusqu'à sa mort, en 2008. La maison, toujours en activité, a aujourd'hui pour directeur artistique Stefano Pilati.

SCHIAPARELLI, ELSA

(1890–1973), France

Elsa Schiaparelli, d'origine italienne, s'installe au début des années 1920 à Paris. Elle se lie d'amitié avec un certain nombre de surréalistes, dont Man Ray et Jean Cocteau, qui influenceront ses créations. Citons, par exemple, la « robe homard » qu'elle réalise avec Salvador Dalí. Pour sa « Tear Dress » (robe larme) en soie, à laquelle un foulard est assorti, elle crée un motif qui, par un effet de trompe-l'œil, ressemble à un lambeau de chair rose. Les foulards produits par sa maison de couture ne sont pas signés mais sont accompagnés d'une étiquette noire et blanche portant son nom. En 1954, au bord de la faillite, elle décide de vendre les droits d'exploitation de la marque. Les foulards « Schiaparelli » produits après cette date n'ont pas été créés par elle.

SILVER, ARTHUR
(1853–1896), Royaume-Uni
Diplômé de la Reading School of Art en 1872, Arthur Silver fait son apprentissage auprès de H. W. Bartley qui lui apprend les techniques d'impression sur papier peint et textile. En 1880, il ouvre le Silver Studio, où il produit des décors qui, imprimés au bloc, s'inspirent de l'œuvre de William Morris et de l'art japonais. Il vend à Liberty l'un de ses premiers motifs, celui de la « plume de paon ». Également connu sous le nom de « Hera », celui-ci deviendra un grand classique et sera souvent reproduit sur des foulards au cours des décennies suivantes. Les décors à base de fleurs et de plantes stylisées créés par Arthur Silver sont emblématiques de la production du Silver Studio et du mouvement Arts & Crafts.

STEWART, ROBERT
(1925–1995), Royaume-Uni
Le créateur textile britannique Robert Stewart, qui étudia à la Glasgow School of Art, est un contemporain de Lucienne Day, avec qui il travaille en free-lance pour Liberty. Tous deux décident finalement de se partager le travail : Stewart continuera à dessiner pour Liberty tandis que Day travaillera pour Heal's. Ainsi Stewart crée-t-il pour Liberty dans les années 1950 un certain nombre de textiles à décors géométriques, composés de fruits ou de fleurs. Stewart est un des rares créateurs de Liberty à avoir son nom imprimé dans ses décors de foulard.

THAI SILK COMPANY, *voir* **THOMPSON, JIM**

THOMPSON, JIM
(1906–1967 ?), Thaïlande
Ancien officier de renseignement de l'armée américaine, James Harrison Wilson Thompson, dit « Jim Thompson », a contribué à revitaliser le tissage à la main de la soie en Thaïlande en introduisant dans cet artisanat traditionnel, vieux de plusieurs siècles, des teintures grand teint éclatantes et des métiers à tisser modernes. Son modèle de production, basé sur le travail à domicile, a permis d'arracher à la pauvreté de nombreuses familles thaïlandaises. La maison de Jim Thompson à Bangkok, merveilleusement aménagée par ce collectionneur d'art thaïlandais, a été transformée en musée après sa mystérieuse disparition en 1967. Les motifs de ses foulards en soie sont des motifs traditionnels caractéristiques du Sud-Est asiatique. La Thai Silk Company fabrique aujourd'hui encore des tissus d'ameublement sous la marque Jim Thompson, et il est question de réintroduire dans la production une ligne de foulards.

TIE RACK
Royaume-Uni
La société d'accessoires britannique Tie Rack commença à vendre des cravates et des foulards en 1981 dans une petite cordonnerie minute d'Oxford Street, à Londres. Pour sa marque « Art of Silk », la société fit appel à des étudiants des écoles d'art londoniennes et à de jeunes créateurs textiles en début de carrière, notamment à Tamara Salman, qui allait par la suite devenir la directrice artistique de Liberty. Tie Rack est aujourd'hui bien implanté à l'échelle internationale et produit chaque année des centaines de foulards aux décors et aux tissus les plus variés.

TIMNEY FOWLER
Royaume-Uni
Le studio de création Timney Fowler, basé à Londres et spécialisé dans le tissu d'ameublement, fut fondé en 1980 par un couple de designers textiles, Sue Timney et Grahame Fowler, qui avaient auparavant créé des imprimés pour Issey Miyake et Yohji Yamamoto. Leurs décors sont généralement de type néoclassique et monochromes, avec des motifs clairement délimités. À la fin des années 1980, ils diversifièrent leur activité en y incluant la création de foulards et de châles.

TUCKER, SIAN
(1958–), Royaume-Uni
Après avoir étudié à l'Institut polytechnique du Middlesex et au Royal College of Art, la créatrice britannique Sian Tucker décide d'ouvrir un studio de création textile. Un grand nombre de ses décors s'inspirent des papiers découpés d'Henri Matisse : ils se composent de formes très marquées disposées sur des fonds de couleur vive. Son style est emblématique des années 1980 : c'est elle qui a créé le décor des sacs encore utilisés aujourd'hui par The Conran Shop.

VERA *voir* **NEUMANN, VERA**

VERSACE, GIANNI
(1947–1997), Italie
Gianni Versace commence sa carrière à Milan au début des années 1970 comme créateur free-lance pour les maisons de mode Callaghan et Genny. Il lance sa propre marque et sort sa première collection en 1978. Il se fait rapidement un nom grâce à ses tenues du soir, somptueuses et très glamour, qui soulignent la silhouette. Le style flamboyant de Versace plaît aux célébrités, aux stars du rock et aux actrices, ce qui lui permet de s'attacher une clientèle exclusive. On retrouve dans ses foulards son goût pour l'ostentatoire et les couleurs vives. Depuis son assassinat en 1997, sa sœur, Donatella Versace, a repris la direction artistique de la maison.

VON ETZDORF, GEORGINA
(1955–), Royaume-Uni
Après des études à la Camberwell School of Arts and Crafts, Georgina von Etzdorf ouvre un studio de création textile au début des années 1980. Quelques années plus tard, elle est une des premières à présenter des vêtements de jour confectionnés dans des tissus jusque-là réservés aux tenues de soirée. Von Etzdorf est connue pour ses imprimés absolument uniques, sérigraphiés sur du sergé ou de la mousseline de soie, ainsi que pour ses foulards et châles en velours dévoré.

WESTWOOD, VIVIENNE
(1941–), Royaume-Uni
À la fin des années 1970, la créatrice de mode britannique Vivienne Westwood ouvre avec son mari Malcolm McLaren – l'impresario des Sex Pistols – la boutique Sex, sur King's Road. Elle est alors connue pour son anticonformisme et pour avoir lancé la tenue décalée des punks. Au début des années 1980, inspirée par les graffitis de l'artiste Keith Haring, elle crée des tissus et des foulards portant des messages et des slogans politiques. Les noms qu'elle donne à ses collections indiquent souvent ses sources d'inspiration. Citons, par exemple, ses looks « Pirates », « Buffalo girls », « Pagan » et « Anglomania ».

GLOSSAIRE

SOIE

Crêpe : Tissu pure soie ou mélangé, gaufré, extensible et rêche. Les foulards des années 1930 et 1940 sont souvent en crêpe ; les *furoshiki* et les foulards japonais sont généralement constitués d'un crêpe épais.

Habutaï : Soie légère et scintillante, qui glisse facilement. Cette soie d'un moindre coût est souvent celle des foulards produits en série dans les années 1960 et 1970.

Soie grège : Lourde soie brute, mate et douce bien que constituée de fils d'une épaisseur irrégulière. Quelques rares foulards ont été fabriqués en soie grège dans les années 1940.

Mousseline de soie : Soie très légère, douce et diaphane. Elle sert souvent de support aux imprimés fleuris des années 1930 et aux décors créés dans les années 1950 par certaines maisons de mode. La mousseline de soie fut temporairement délaissée dans les années 1960 au profit des synthétiques nouvellement arrivés sur le marché, d'un entretien facile.

Satin de soie : Soie lourde et satinée souvent associée à de la mousseline de soie, notamment dans les foulards des années 1980, les deux tissus formant ensemble une alternance de rayures.

Sergé de soie : Tissu reconnaissable à son armure diagonale serrée. C'est la meilleure qualité de soie utilisée pour les foulards. Ceux de la plupart des maisons de couture sont précisément en sergé de soie.

Soie thaïe : Soie scintillante, beaucoup moins souple que les autres soies. On ne trouve généralement en soie thaïe que des foulards orientaux.

LAINE

Laine : La laine fut utilisée, dans les années 1930 et 1940, pour la confection de foulards imprimés, généralement bordés d'une frange. Le foulard triangulaire en laine, parfois à franges, était un article courant dans les années 1950 à 1970. Le très grand carré de laine fut à la mode à la fin des années 1970 et au début des années 1980.

Cachemire : Tissu fin, très doux, résistant et onéreux, fabriqué à partir de la laine d'une chèvre originaire de la région du Cachemire, à la frontière entre l'Inde et le Pakistan. On trouve des châles et de grands foulards en cachemire.

COTON

Fibre végétale naturelle et bon marché, qui fut beaucoup utilisée pour les bandanas et les foulards triangulaires à la mode à la fin des années 1960 et dans les années 1970. Les foulards de propagande fabriqués pendant la Seconde Guerre mondiale étaient également en coton, car les fabriques de soie participaient à l'effort de guerre.

TISSUS SYNTHÉTIQUES

Acétate : Tissu synthétique fabriqué à partir de fibres de bois, à l'aspect soyeux, mais très inflammable. À partir des années 1950 et jusque dans les années 1980, de nombreux foulards souvenirs furent fabriqués en acétate.

Satin d'acétate : Tissu synthétique, lourd et soyeux, dans lequel quelques très rares foulards furent confectionnés dans les années 1950. Importés du Japon, les foulards en satin d'acétate de la marque Hammura sont souvent ornés de motifs géométriques ou de motifs figuratifs sombres, de vases grecs par exemple.

Nylon : Tissu très léger et diaphane qui, fabriqué à partir d'un polyamide synthétique, fut à l'origine inventé pour remplacer la soie. Dans les années 1950, de nombreux foulards ornés d'imprimés fleuris étaient en nylon.

Polyester: Tissu fabriqué à partir de fibres polymères synthétiques, qui peut prendre l'aspect de tout un éventail d'autres tissus, des mousselines les plus légères aux étoffes les plus épaisses, les plus rêches et les plus opaques. Le polyester est donc le tissu synthétique le plus répandu. Il a souvent été utilisé pour les foulards bon marché des années 1960 et 1970.

Rayonne : Tissu fabriqué à partir de fibres de cellulose modifiée, également connu sous le nom de viscose. Pendant la Seconde Guerre mondiale, la soie étant réservée à la confection des parachutes, la rayonne, bien meilleur marché, se substitua à celle-ci dans le secteur de l'habillement. La rayonne peut être scintillante ou totalement mate. De nombreux foulards des années 1940 sont en rayonne. Il est parfois très difficile de faire la distinction entre la soie des foulards fabriqués à la fin des années 1940 ou au début des années 1950 et la rayonne qui, au toucher, ressemble beaucoup à la soie mais est généralement moins éclatante.

DATER ET AUTHENTIFIER UN FOULARD VINTAGE

SAVOIR DATER UN FOULARD VINTAGE

Pour déterminer l'époque d'un foulard, il faut tout d'abord s'intéresser à son décor. À chaque décennie correspondent des décors spécifiques, faciles à identifier (on trouvera des exemples dans le chapitre 1). Cependant, quand un style ancien est revenu à la mode quelques décennies plus tard, il devient plus difficile de situer les foulards dans le temps. Dans ce cas, il faut aussi tenir compte de la qualité de l'impression, du tissu et des finitions.

Des années 1920 aux années 1940 : Les décors des foulards fabriqués avant les années 1940 sont souvent moins complexes que ceux des foulards modernes et ne sont pas imprimés aussi proprement. Il peut y avoir en effet de légers défauts d'impression, des bords flous ou des bavures, par exemple, si les teintures ne sont pas grand teint. Avant les années 1940, les fabricants de foulards avaient tendance à utiliser des soies très fines, de la mousseline de soie, de la rayonne, des lainages, des crêpes chiffons ou des cotons doux. Les foulards fabriqués avant et pendant les années 1940 avaient généralement des ourlets piqués à la machine au lieu d'ourlets roulottés à la main.

Années 1950 : Alors que les techniques d'impression utilisées étaient semblables à celles des années 1940, les foulards furent confectionnés dans une plus grande variété de tissus, ceux-ci étant en outre de meilleure qualité. Les foulards de soie devinrent un petit peu plus épais tandis que les mousselines s'allégeaient ; les cotons avaient plus de tenue et deux tissus synthétiques, le nylon et le polyester, firent leur apparition. Les ourlets furent plus souvent roulottés à la main dans les années 1950.

Années 1960 et 1970 : Les procédés d'impression devinrent plus sophistiqués. Il est en effet difficile de différencier les foulards des années 1960 ou 1970 des modèles actuels en se basant uniquement sur la qualité de l'impression. Les ourlets tant des foulards synthétiques bon marché que des foulards de soie coûteux continuèrent à être roulottés à la main.

Années 1980 : La qualité de l'impression étant identique à celle des décennies précédentes, il est plus facile d'identifier les foulards des années 1980 en se référant au style du décor. Les ourlets roulottés furent de plus en plus faits à la machine, les coins étant cependant cousus à la main.

IDENTIFIER LES TECHNIQUES DE FINITION

La couture au point de vous à moi : Cette couture ouverte est utilisée sur les foulards en lin, les coins ressemblant à des coins d'enveloppe. Cette couture était celle généralement utilisée pour les ourlets des foulards et des mouchoirs jusque dans les années 1920.

Les franges : Orner de franges fines et courtes les textiles tissés à la main est une technique de finition traditionnelle, qui commença à être utilisée dans les années 1930 sur les foulards de laine et de soie fabriqués en série.

Les ourlets roulottés à la main sur l'envers : Les bords sont roulés vers l'intérieur, au revers du foulard, puis cousus à la main au point de côté. Bien que certains foulards synthétiques aient des ourlets roulottés à la main, la présence d'ourlets réalisés avec cette technique sur un foulard en soie indique qu'il s'agit d'un foulard de qualité. Cette technique fut en effet utilisée à partir des années 1950 par la haute couture et les plus grands fabricants.

Les ourlets roulottés à la machine : Les ourlets roulottés à la machine sont faciles à distinguer de ceux faits main, car ils sont plus lisses et plus réguliers. Ils sont cousus au point de feston, un point en forme de V, plus visible que le point de côté. Les coins sont finis à la main. On trouve très souvent cette technique sur les foulards fabriqués à partir des années 1980.

Les ourlets piqués à la machine : Les foulards en soie, coton ou synthétique dont les bords ont simplement été repliés avant d'être cousus au point droit sont des foulards dont les ourlets ont été piqués à la machine, ce qui ne veut nullement dire qu'ils sont de qualité inférieure. Cette technique est utilisée pour les ourlets de foulard depuis les années 1920. Les points sont généralement minuscules.

Le surjet : Couture au point de chaînette qu'on trouve souvent sur l'envers des vêtements actuels. Quand un foulard a des ourlets cousus avec ce point, il y a de fortes chances qu'il s'agisse d'une contrefaçon cherchant à imiter un modèle de créateur.

Les ourlets roulottés à la main sur l'endroit : Lorsque les bords d'un foulard de soie ont été roulés à la main vers l'intérieur, sur l'endroit, puis soigneusement cousus au point de côté, ceci indique généralement que le foulard a été fabriqué par une grande maison française, comme Hermès par exemple. Cette technique est apparue dès les années 1930.

DÉCELER UNE IMITATION

Il y a de nombreuses contrefaçons en circulation sur le marché du foulard – qu'il s'agisse de foulards vintage ou de foulards dessinés par des créateurs –, mais il suffit de bien savoir ce qui fait l'authenticité d'un produit pour parvenir à déceler toute imitation.

Le tissu : C'est le premier indice. Les tissus des imitations sont souvent des soies lisses et brillantes, de légers jacquards de soie ou de la mousseline de soie associée à du satin de soie pour former des rayures. Un foulard constitué d'un de ces tissus doit être attentivement examiné.

La qualité de l'impression : La présence de contours noirs bien nets et d'aplats de couleur indique clairement qu'on a affaire à une contrefaçon. Méfiez-vous des décors trop nets, trop propres et trop réguliers du début du XXe siècle, il peut s'agir d'imitations modernes de décors vintage.

Le logo et l'étiquette : Vérifiez l'impression du logo. En cas d'imitation, les lettres peuvent ne pas être de la bonne taille ou il peut manquer un accent. De petits détails peuvent aussi être absents de l'image du logo. Il faut examiner attentivement toutes les étiquettes. Le logo peut ne pas figurer sur l'étiquette ou avoir été clairement ajouté ultérieurement.

La finition : La technique de finition doit correspondre à l'époque, à la qualité et à l'origine présumées du foulard. Sur une contrefaçon, on peut trouver, par exemple, des ourlets qui semblent avoir été roulottés à la main comme ceux des plus beaux foulards vintage alors qu'un examen attentif révélera la présence de points en V caractéristiques des ourlets roulottés à la machine. Lorsque les ourlets d'un foulard prétendument roulottés à la main sont très étroits et parfaitement uniformes, le foulard est un modèle de moindre qualité, dont les ourlets ont probablement été piqués à la machine. Certaines imitations n'ont même pas du tout d'ourlets.

ENTRETIEN ET CONSERVATION

Les amateurs de vêtements vintage ne s'attendent généralement pas à ce que le tissu soit parfait. L'aspect un peu patiné d'un tissu ou d'un vêtement ajoute souvent à sa beauté et augmente l'intérêt qu'il présente. Savoir bien conserver les pièces d'une collection est toutefois essentiel. Un collectionneur de foulards doit être capable d'identifier les différents processus de détérioration d'un tissu et connaître les techniques de nettoyage et de conservation permettant si possible de les enrayer.

LES DÉFAUTS LES PLUS COURANTS

Quand on achète un foulard sur Internet, qu'il soit ou non vendu aux enchères, il vaut mieux connaître les termes susceptibles d'être utilisés par les vendeurs pour décrire les défauts dus à l'usure du tissu.

Fentes : Il ne s'agit pas à proprement parler de trous, mais de petites fissures, généralement d'une longueur maximale de 1 à 2 cm, dues à la présence de fils distendus. Ceux-ci indiquent que le tissu est en train de se fragiliser, ce qui mérite considération si l'idée est de porter le foulard mais n'a pas d'importance s'il est destiné à être encadré.

Trous d'épingle : Les trous d'épingle sont, comme leur nom l'indique, de minuscules trous qui apparaissent dans les tissus vieillissants. Beaucoup plus petits que les trous de mite, on ne les voit qu'en plaçant le foulard face à la lumière. Ces trous sont généralement le signe que le foulard a mal été entretenu et il suffit souvent d'en prendre soin pour qu'ils ne s'agrandissent pas.

Taches jaunes ou brunes : Ces taches apparaissent sur les foulards qui ont été rangés dans des endroits inadéquats et qui, souvent, ont souffert de l'humidité. Elles sont fréquentes sur les foulards des années 1950 et sur les modèles plus anciens. Bien que ces taches soient extrêmement difficiles à faire disparaître, elles ne devraient normalement pas empirer si le foulard est par la suite rangé correctement.

LE NETTOYAGE

Mauvaises odeurs : De nombreux foulards vintage ont une forte odeur de renfermé. N'utilisez aucun des sprays actuels pour retirer ces odeurs, car la pulvérisation peut laisser des traces. Quel que soit le tissu – soie, coton ou synthétique –, la solution la plus douce consiste à placer le foulard dans un grand sac plastique et à verser dessus assez de bicarbonate de soude pour le recouvrir. Il suffit ensuite de nouer le sac, de le secouer, de laisser agir pendant quelques heures, et enfin de secouer le foulard pour le débarrasser du bicarbonate. Dans la plupart des cas, l'odeur aura disparu. S'il s'agit d'une odeur de moisi, due à un rangement dans un endroit humide, elle sera beaucoup plus difficile à éliminer et il sera peut-être nécessaire de laver le foulard.

Lavage : On peut laver délicatement à l'eau froide, avec une lessive pour lavage à la main, les foulards aux couleurs pastel fabriqués en synthétique, coton ou soie légère à partir des années 1970. Les foulards aux couleurs plus soutenues, quelle que soit leur date de fabrication mais plus particulièrement s'ils sont antérieurs aux années 1970, ne sont pas grand teint, c'est-à-dire qu'ils peuvent déteindre si on les lave. Il vaut donc mieux les faire nettoyer à sec. De même, il ne faut jamais laver les foulards confectionnés dans une soie lourde (par exemple un sergé de soie, le tissu préféré de nombreuses maisons de couture). Le lavage leur ferait perdre leurs couleurs lumineuses, modifierait la texture du tissu, et risquerait même d'endommager les ourlets roulottés à la main. Ces foulards doivent donc être nettoyés à sec, plusieurs nettoyages pouvant s'avérer nécessaires pour ôter une odeur de moisi.

Étant donné que les différents types de tissu réagissent différemment à certaines techniques de nettoyage, nous vous indiquons ici quelques techniques ayant fait leurs preuves :

Acétate : Les foulards en acétate des années 1950 et 1960 doivent toujours être nettoyés à sec. Vous pouvez laver délicatement à la main, à basse température et avec une lessive pour lavage à la main, les foulards plus récents. Évitez de les faire tremper, car les couleurs ne tiennent pas très bien sur ce type de tissu. Pour les mêmes raisons, ne les nettoyez jamais à la vapeur.

Rayonne (ou viscose) : Plongez entièrement le tissu dans l'eau ; n'essayez pas de nettoyer seulement la tache à l'eau, car cela risquerait de laisser une auréole. N'utilisez ni blanchissant, ni détachant qui peuvent décolorer le tissu.

Velours : Ne lavez jamais un foulard en velours, faites-le nettoyer à sec. Évitez de le repasser, car le fer pourrait le lustrer. La vapeur permet de redonner du gonflant à un velours qui a été écrasé. On peut ensuite le brosser avec une brosse à velours.

Soie : Pour retirer une tache d'eau, placez un chiffon sec sous la tache et tamponnez-la avec un chiffon humide. Pour redonner à la soie son éclat, lavez-la à la main dans une eau savonneuse tiède et rincez-la dans une eau à 30° additionnée d'une petite cuillerée d'alcool à brûler. Celui-ci contribuera à raviver la couleur au moment du repassage. Faites sécher à plat sur un voile tendu entre deux cordes à linge ou sur un étendoir.

Laine : Pour détacher un tissu en laine, lavez-le délicatement à l'eau tiède avec une lessive pour lavage à la main ou du shampoing. Faites-le sécher à plat pour éviter qu'il ne se déforme.

LE DÉTACHAGE

Taches dues à l'usure du temps : Ce sont des taches faciles à atténuer mais difficiles à faire disparaître complètement d'un foulard en soie ou en coton. Il est en revanche relativement facile de les éliminer sur les synthétiques. Pour les petites taches, vous pouvez utiliser comme blanchissants naturels du jus de citron et du bicarbonate de soude. Après avoir mélangé à parts égales ces deux substances et avoir ajouté une petite quantité de vinaigre blanc, appliquez sur les taches, avec une boule de coton à démaquiller, la pâte humide ainsi obtenue, puis mettez le foulard au soleil pendant plusieurs heures, ce qui aura pour effet d'augmenter l'effet des blanchissants. Retirez les résidus à l'eau (ce mode de détachage n'est donc pas recommandé pour les tissus comme la rayonne, que l'eau peut tacher). L'endroit traité risque au final d'être plus clair que le reste du foulard, mais c'est souvent préférable à une tache sombre. Si la tache se situe sur un fond blanc, vous pouvez en dernier recours appliquer dessus, là encore avec une boule de coton à démaquiller, de l'eau de Javel incolore extrêmement diluée. Frottez les taches plus grandes avec une éponge imprégnée de glycérine, en commençant par le bord extérieur de la tache, puis laissez agir une heure (pas plus, car la glycérine pourrait laisser une trace indélébile). Lavez ensuite le foulard à l'eau tiède avec un savon liquide doux.

Taches de rouge à lèvres, de gras et de maquillage : Le mieux est de traiter la tache quand elle est encore fraîche, mais les taches de maquillage sur les foulards vintage sont souvent aussi anciennes que les foulards eux-mêmes. Autrefois, les produits de maquillage étaient généralement très chargés en huile, ce qui ne facilite pas le détachage. Le plus facile et le plus pratique est de frotter sur la tache une minuscule goutte de liquide vaisselle incolore, puis de rincer à l'eau tiède.

Taches d'encre : Si la tache est récente, passez délicatement une éponge imprégnée d'un peu de liquide vaisselle incolore sur l'endroit taché afin de retirer le plus d'encre possible, puis lavez le tissu à l'eau tiède. Imprégner la tache de lait n'est efficace que sur les tissus aux couleurs pastel. Si la tache est ancienne, pulvérisez de la laque pour cheveux sur l'endroit taché, laissez sécher, puis retirez les résidus de laque avec un chiffon doux en faisant bien attention à ne pas étaler la tache d'encre qui se sera dissociée du tissu. Lavez ensuite à l'eau tiède si le tissu le permet.

Taches de café ou de thé : Tamponnez l'endroit taché avec une eau savonneuse douce ou avec de la glycérine, puis avec du vinaigre blanc ou de l'eau oxygénée à 20 volumes, avant de rincer à l'eau tiède.

Taches de vin rouge ou d'un liquide coloré : Saupoudrez une poudre absorbante ou du sel sur la tache. Quand la poudre a absorbé la couleur, retirez les résidus en brossant, puis trempez le tissu dans de l'eau froide. Pour finir, rincez ou frottez la tache à l'alcool.

LES TECHNIQUES DE RANGEMENT

L'encadrement : Certains foulards sont si beaux et si rares qu'il convient de les traiter comme des œuvres d'art. Pour bien protéger un foulard, le mieux est de le placer sous vide, entre deux feuilles de verre, de manière à ce qu'il ne puisse pas glisser à l'intérieur du cadre. Ce type d'encadrement revient cher, mais il est indispensable pour les foulards fragiles ayant de la valeur, car il permet de ne pas utiliser de scotch, de colle ou d'épingles qui pourraient à la longue laisser des traces sur le tissu. Une méthode d'encadrement moins onéreuse consiste à couvrir le fond du cadre d'un calicot ou d'un velours de couleur claire (il vaut mieux éviter les tissus aux couleurs soutenues qui risqueraient de tacher le foulard). Pour maintenir le tissu en place, fixez-le à l'aide d'une agrafeuse murale ou avec du scotch résistant. Il vous suffit ensuite de coudre très soigneusement à la main, au point de côté, le bord du foulard sur le tissu servant de fond. (Ne cousez pas la partie centrale du foulard car vous risqueriez de tirer des fils.) Les dimensions du cadre doivent correspondre à celles du foulard afin que tout le décor soit visible et que le foulard ne soit pas replié autour du fond du cadre. Quelle que soit la méthode choisie, n'exposez jamais votre foulard encadré à une lumière vive – que ce soit celle du soleil ou celle d'un éclairage artificiel –, de manière à ce qu'il conserve ses couleurs d'origine.

Le rangement à plat : Si un foulard est destiné à être porté ou manipulé fréquemment, le mieux est de le ranger à plat, à l'abri de la lumière, dans une boîte ou une armoire. Ne stockez pas une collection de foulards dans un sac plastique ou une boîte en plastique, car les couleurs claires et les blancs risqueraient de jaunir. Le mieux est de poser chaque foulard à plat entre deux feuilles de papier de soie blanc non acide. La température idéale, pour conserver les foulards, se situe entre 5 et 15 °C.

Le stockage dans un rouleau : Si vous n'avez pas assez de place pour entreposer à plat votre collection de foulards, empilez-les à plat, en glissant entre chacun d'eux des feuilles de papier de soie non acide, puis roulez-les et placez-les dans un long tube en carton ou en PVC. Évitez de les plier, car cela risquerait de laisser des marques indélébiles.

La protection contre les insectes : Si possible, faites nettoyer à sec vos foulards avant de les ranger car des taches invisibles pourraient attirer les insectes. Pour les protéger des mites, utilisez des copeaux de cèdre, des sprays à la lavande, des sachets de lavande ou les boules antimites d'autrefois (celles-ci ont cependant tendance à dégager une odeur très forte). Il n'est pas conseillé d'utiliser un insecticide liquide, car il risquerait de tacher le tissu. Si les mites sont déjà passées à l'action, mettez votre foulard au congélateur : le froid tuera les œufs et permettra de les retirer plus facilement.

OÙ TROUVER DES FOULARDS VINTAGE

MUSÉES
De nombreux musées ont des collections de foulards, mais certains ne les exposent pas en permanence. Mieux vaut donc se renseigner au préalable.

BECKFORD SILK
Beckford, Nr Tewksbury
Gloucestershire, GL20 7AU,
Grande-Bretagne
+44 (0)1386 881507
www.beckfordsilk.co.uk

MACCLESFIELD SILK MUSEUM
The Heritage Centre
Roe Street, Town Centre,
Macclesfield, SK11 6UT,
Grande-Bretagne
+44 (0)1625 612045
www.macclesfield.silk.museum

POWERHOUSE MUSEUM
500 Harris St
Ultimo NSW 2007, Australie
(+61 2) 9217 0111
www.powerhousemuseum.com

WHITWORTH ART GALLERY
Oxford Road
Manchester, M15 6ER,
Grande-Bretagne
+44 (161) 275 7450
www.whitworth.manchester.ac.uk

VICTORIA & ALBERT MUSEUM
V&A South Kensington
Cromwell Road
Londres, SW7 2RL,
Grande-Bretagne
+44 (0)20 7942 2000
www.vam.ac.uk

THE FASHION MUSEUM
Bennett Street
Bath, BA1 2QH,
Grande-Bretagne
+44 (0)1225 477 789
www.museumofcostume.co.uk

MUSÉE DES TISSUS ET MUSÉE DES ARTS DÉCORATIFS DE LYON
34 rue de la Charité
F-69002 Lyon, France
+33 (0)4 78 38 42 00
www.musee-des-tissus.com

JIM THOMPSON HOUSE AND MUSEUM
6 Soi Kasemsan 2, Rama 1 Road,
Bangkok, Thaïlande
+66 2 216-7368
www.jimthompsonhouse.com

THE FASHION AND TEXTILE MUSEUM
83 Bermondsey Street
Londres, SE1 3XF,
Grande-Bretagne
+44 (0)20 7407 8664
www.ftmlondon.org

THE METROPOLITAN MUSEUM OF ART COSTUME INSTITUTE
1000 Fifth Avenue
New York, New York
10028-0198, États-Unis
+1 212-535-7710
www.metmuseum.org/works_of_art/the_costume_institute

MANCHESTER ART GALLERY
Mosley Street
Manchester, M3 3JL,
Grande-Bretagne
+44 (0)161 235 8888
www.manchestergalleries.org

IMPERIAL WAR MUSEUM
Lambeth Road
Londres SE1 6HZ,
Grande-Bretagne
+44 (0)20 7416 5000
www.iwm.org.uk

COLLECTIONS SUR INTERNET
www.rennart.co.uk
www.scarfcollector.myby.co.uk

SALONS DE LA MODE VINTAGE
Pour acquérir des foulards vintage, le mieux est de passer en revue les stands des marchands de vêtements aux salons de la mode vintage organisés à Londres, à Paris et dans d'autres grandes villes du monde. Ces salons sont généralement annoncés dans la presse locale. La plupart des marchands sont spécialisés soit dans une décennie comme les années 1950 soit dans un type d'article comme le sac à main. Ils sont en outre généralement prêts à faire profiter les nouveaux collectionneurs de leur savoir et de leur expertise. Presque tous les marchands ont une petite sélection de foulards vintage, et quelques-uns sont même spécialisés dans ces articles. On peut aussi découvrir dans les foires aux antiquités, où l'on trouve du mobilier mais aussi tout un bric-à-brac, des foulards anciens tels que des foulards de propagande de la Seconde Guerre mondiale ou des foulards commémoratifs. Il y a tant de salons de la mode vintage qui fleurissent un peu partout qu'il est impossible d'en dresser une liste complète. Vous ne trouverez répertoriés ici que ceux que nous connaissons personnellement.

GRANDE-BRETAGNE
LONDRES
Battersea Vintage Fashion Fair
www.vintagefashionfairs.com

Clerkenwell Vintage Fair
www.clerkenwellvintagefashionfair

Frock Me
www.frockmevintagefashion.com

The London Vintage Fashion, Textiles and Accessories Fair
www.pa-antiques.co.uk

BATH
Ashley Hall Fairs
www.ashleyhallfairs.co.uk

BRENTWOOD, ESSEX
Vintage Vogue: The Essex Vintage Fashion Fair
www.essexvintagefashionfair.com

BRIGHTON
Frock Me
www.frockmevintagefashion.com

BRISTOL, CARDIFF, CHELTENHAM ET EXETER
Blind Lemmon Vintage Fashion Fairs
www.blindlemmonvintage.co.uk

LIVERPOOL ET MANCHESTER
Decorative Fairs: Art Deco & Textiles
www.decorativefairs.co.uk

STROUD
Ashley Hall Fairs
www.ashleyhallfairs.co.uk
Stroud Vintage Fashion Festival
www.stroudvintage.com

AUSTRALIE
SYDNEY ET BRISBANE
Vanity Fair Vintage Markets
www.vanityfairmarkets.com

ÉTATS-UNIS
NEW YORK
Manhattan Vintage Clothing Show
www.manhattanvintage.com

MARCHÉS AUX PUCES

Un marché aux puces est un bon endroit pour dénicher des foulards vintage. Ce sont des articles souvent négligés par les professionnels et en même temps, on ne peut les apprécier que si l'on possède quelques connaissances à leur sujet. Ils sont donc rarement pris d'assaut. Le meilleur guide des marchés aux puces organisés en France et en Suisse est *Antiquités – Brocantes*, qu'on peut commander à l'adresse suivante : www. broc-antic.com. *The Antique Trade Calendar* – distribué par GP London, 32 Fredricks Place, North Finchley, Londres N12 8QE – répertorie tous les marchés aux puces du Royaume-Uni. Des marchés aux puces sont organisés régulièrement dans les villes du monde entier. Vous trouverez ci-dessous quelques-uns des plus connus.

LONDRES

Brick Lane Market
Dimanche matin
www.visitbricklane.org

Camden Market
Week-end
www.camden-market.org

Covent Garden Market
Lundi matin
www.coventgardenlondonuk.com

Portobello Market
Vendredi/Samedi
www.portobellomarket.org

Spitalfields Market
Jeudi
www.visitspitalfields.com

PARIS

Les Puces de Paris
Week-end
www.parispuces.com

NEW YORK

Hell's Kitchen Flea Market
hellskitchenfleamarket.com

LOS ANGELES

Rose Bowl Flea Market
2e dimanche du mois
www.rgcshows.com

ROME

Porta Portese Market
Dimanche
Piazza di Porta Portese
Via Portuense & Ippolito Nievo
00153 Rome

MILAN

Antiquariato sul Naviglio
Dernier dimanche du mois
www.navigliogrande.mi.it

VIDE-GRENIERS ET BROCANTES

En Grande-Bretagne, c'est dans les vide-greniers qu'on trouve les vêtements et les foulards vintage les moins chers. L'offre y est extrêmement variable. Les dates et emplacements des vide-greniers sont généralement publiés dans la presse locale. Tous les mois a lieu à Londres un très grand vide-grenier réunissant des marchands qui viennent parfois d'assez loin.

Aux États-Unis, le vide-grenier prend une autre forme : au lieu de rassembler en un point central un grand nombre de vendeurs, il a lieu chez un particulier et seuls le bouche à oreille ou un bulletin local permettent d'en connaître la date et l'emplacement ; le choix y est bien plus limité, mais il arrive qu'on y trouve des foulards vintage. Si vous passez devant la maison d'un particulier qui « vide son grenier », n'hésitez donc pas à vous arrêter et à jeter un œil.

En France, le terme « brocante » désigne beaucoup de choses, de la boutique de bric-à-brac locale au vide-grenier de village organisé le week-end, où les particuliers proposent sur leur stand toutes sortes d'articles intéressants.

VENTES DE CHARITÉ ET BOUTIQUES VINTAGE

La mode des décennies passées suscitant de plus en plus d'intérêt, il existe aujourd'hui dans la plupart des pays un vaste choix de boutiques vintage. La plupart d'entre elles ont un grand rayon d'accessoires comprenant des foulards. Vous avez aussi de fortes chances de dénicher des foulards à des prix intéressants dans les ventes de charité, notamment celles des quartiers riches ou des petites villes de province. Certaines organisations caritatives vendent aujourd'hui leurs meilleurs articles sur Internet ou dans des boutiques vintage, car elles en obtiennent ainsi un meilleur prix. Vous trouverez les coordonnées des boutiques vintage du monde entier dans *Shopping for Vintage* de Funmi Odulate (2007). Nous ne mentionnons ici que celles que nous pouvons personnellement recommander.

LONDRES

Blackout II
51 Endell Street
Covent Garden, WC2H 9AJ
+44 (0)20 7240 5006
www.blackout2.com

Cloud Cuckoo Land
6 Charlton Place,
Camden Passage
N1 8AJ
+44 (0)20 7354 3141

Grays
58 Davies Street & 1–7 Davies Mews
Londres, W1K 5AB
www.graysantiques.com

The Shop
3 Cheshire Street
Shoreditch, E2 6ED
+44 (0)20 7739 5631

WOW Retro
179 Drury Lane
Covent Garden, WC2B 5QF
+44 (0)20 783 11 699
www.wowretro.co.uk

BELFAST

Best Vintage
35 Ann Street
Belfast, BT1 4EB
+44 (0)28 90246702
www.myspace.com/bestvintagebelfast

Rusty Zip
28 Botanic Avenue
Belfast , BT7 1JQ
+44 (0)28 90249700
www.therustyzip.com

DUBLIN

George's Street Arcade
South Great George's Street
(entre George's Street et Drury Street)
Dublin 2
www.georgesstreetarcade.ie

Jenny Vander
50 Drury Street
Dublin 2
+353 (0)1 6770406

MILAN

Franco Jacassi
Via Sacchi 3
02 8646 2076
www.vintagedeliriumfj.com

Cavalli e Nastri
Via Brera 2
www.cavallienastri.com
02 7200 0449

ROME
Bianco e Nero
Via Marrucini 34
San Lorenzo

FLORENCE
Elio Ferraro
47 R Via del Parione
www.elioferraro.com

ATLANTA
Junkman's Daughter
464 Moreland Ave.
Atlanta, GA 30307
+1 404 577-3188

Stefan's
1160 Euclid Avenue
Atlanta, GA 30307
+1 404 688-4929
www.stefansvintageclothing.com

NEW YORK
The Family Jewels Vintage clothing
130 W 23rd Street
New York, NY 10011
+1 212 633-6020
www.familyjewelsnyc.com

TORONTO
The Paper Bag Princess
287 Davenport Road
(Entre Avenue Road
et Bedford Road)
Toronto, Ontario M5R 1J9
+1 416 925-2603
www.thepaperbagprincess.com

MAISONS DE VENTE

Seules quelques maisons de vente sont spécialisées dans les vêtements et accessoires vintage, mais nombreuses sont celles dont le calendrier comprend une ou plusieurs ventes de vêtements et de tissus dans l'année. Il arrive que des foulards vintage y soient mis en vente. Les foulards vendus aux enchères ont tendance à être des pièces rares et de valeur, qui proviennent souvent de collections particulières et sont en très bon état. Certains, comme les carrés d'artiste Ascher, peuvent être considérés comme des œuvres d'art et donc faire partie de vente d'objets d'art et non de vêtements. Si vous recherchez des carrés d'artistes, vous avez intérêt à en informer le commissaire-priseur de manière à ce qu'il vous prévienne si quelque chose se présente. Dans les ventes aux enchères, les foulards sont généralement vendus par lot, ce qui constitue un inconvénient majeur, car vous pouvez être obligé d'acheter plusieurs foulards sans intérêt pour obtenir celui que vous voulez.
Le prix peut être assez élevé, d'autant qu'il faut lui ajouter la taxe et la prime de l'acheteur à hauteur d'environ 20 %. Vous trouverez ci-dessous quelques-unes des grandes maisons de vente que nous pouvons personnellement recommander.

Bonhams
www.bonhams.com
Organise de temps en temps des ventes de vêtements vintage dans différentes villes de Grande-Bretagne et des États-Unis.

Christie's
www.christies.com
Connue dans le monde entier, cette maison de vente propose plusieurs fois par an des ventes de vêtements vintage dans ses locaux londoniens et new-yorkais.

Kerry Taylor Auctions
kerrytaylorauctions.com
Fantastique maison de vente londonienne spécialisée exclusivement dans la mode vintage. Des ventes ont lieu approximativement six à sept fois par an.

Rosebery's
www.roseberys.co.uk
Maison de vente basée à Londres. Organise une vente de vêtements et de textiles chaque année en mai.

Sotheby's
www.sothebys.com
Propose de temps en temps à Londres et à New York une vente d'articles haute couture.

William Doyle
www.doylenewyork.com
Maison de vente basée à New York. Organise de temps à autre des ventes d'articles haute couture et d'accessoires dans plusieurs villes des États-Unis.

SITES INTERNET

Acheter un foulard aux enchères sur Internet peut revenir moins cher que de l'acheter auprès d'une maison de vente. Dans ce cas cependant, l'acheteur ne peut voir le foulard de ses propres yeux pour en évaluer la qualité et l'authenticité. Les sites bien établis, comme eBay par exemple (www.ebay.com) ont mis en place des procédures pour protéger l'acheteur et lui permettre de se faire rembourser très facilement, notamment en optant pour un système de paiement comme PayPal. Pour avoir accès au plus grand choix possible de foulards vintage et haute couture, passez en revue les sites eBay de différents pays, sachant que les frais de port risquent d'être plus élevés pour un envoi effectué à partir d'un pays étranger. Pour trouver une bonne affaire, imaginez les éventuelles fautes d'orthographe avec lesquelles le nom d'un créateur ou d'une marque peut avoir été écrit (on trouve souvent par exemple, sous « Richard Allen », des foulards de Richard Allan), ou cherchez par époque plutôt que par nom de créateur (un vendeur peut, par exemple, proposer un « foulard psychédélique des années 1960 » sans savoir qu'il pourrait vendre bien plus cher ce « foulard Pucci »). En dehors d'eBay, le site américain Etsy (www.etsy.com), qui a aussi un petit nombre de vendeurs basés en Grande-Bretagne, a une grande rubrique consacrée aux accessoires et vêtements vintage. Contrairement à eBay, tous les articles proposés sur le site sont à prix fixe. Il y a donc moins de risque de se faire doubler par un autre acheteur.

BIBLIOGRAPHIE

Atkins, J. M., *Wearing Propaganda: Textiles in Japan, Britain and the United States, 1931–1945* (2005)

Baseman, Andrew, Harold Carlton et Robin Nedboy, *The Scarf* (1989)

Baxter-Wright, Emma, Karen Clarkson, Sarah Kennedy et Kate Mulvey, *Vintage Fashion* (2006)

Burma, Anna, *Liberty & Co in the Fifties and Sixties: A Taste for Design* (2008)

Calloway, Stephen, *Le Style Liberty, un siècle d'histoire d'un grand magasin londonien* (1992)

Casadio, Maricuccia, *Moschino* (1998)

Coleno, Nadine, *Le Carré Hermès* (2009)

Damase, Jacques, *Sonia Delaunay : mode et tissus imprimés* (1991)

Damase, Jacques et Shaun Whiteside, *Sonia Delaunay Fashion and Fabrics* (1997)

Ferragamo, Wanda et Samuel Kung, *Salvatore Ferragamo: Evolving Legend 1928–2008* (2008)

Fontan, Geneviève, *Carrés d'art : dictionnaire et cote des foulards Hermès* (2010)

Frost, Patricia, *Miller's Collecting Textiles* (2000)

Galloway, Francesca et Sue Kerry, *Twentieth Century Textiles* (2007)

Gustafson, Helen, *Hanky Panky: An Intimate History Of The Handkerchief* (2002)

Jones, Terry, éd., *Fashion Now 2* (2005)

Lussier, Suzanne, *Art Déco, la mode* (2003)

Mackrell, Alice, *Shawls, Stoles and Scarves* (1986)

Mendes, Valerie et Amy De La Haye, *La Mode depuis 1900* (2003/2011)

Mendes, Valerie et Frances Hinchcliffe, *Ascher: Fabric, Art, Fashion* (1987)

Odulate, Funmi, *Shopping for Vintage* (2006)

Parry, Linda, *Textiles of the Arts & Crafts Movement* (2005)

Rayner, Geoffrey, Richard Chamberlain et Annamarie Stapleton, *Artists' Textiles in Britain 1945–1970* (1999)

Watson, Linda, *Vogue : La Mode du siècle* (2000)

Wilcox, Claire, *The Art and Craft of Gianni Versace* (2003)

Worthington, Christa, Jeff Stone et Kim Johnson Gross, *Scarves* (1993)

Yusuf, Nilgin, *Georgina von Etzdorf: Sensuality, Art and Fabric* (1998)

REMERCIEMENTS

Les auteurs aimeraient remercier Andrew Ginger, John Hamilton, Liz Robinson, Sharon Selzer et Cary Whitely qui leur ont permis de photographier des foulards de leur collection.

Lauren Campbell pour son infinie patience et son aide méticuleuse dès les premières étapes de ce livre et ce jusqu'à la fin.

Andrew Ginger de chez Beaudesert Ltd pour son soutien et ses conseils.

Peter Ascher pour son aide et sa fascinante correspondance.

Jonathan Docherty de chez Georgina von Etzdorf pour son aide et son appui.

Drew Gardner et Marie Absalom pour leur enthousiasme illimité, leurs délicieuses tasses de thé et leurs fabuleuses photographies.

Et toute l'équipe de Thames & Hudson.

Un grand merci également à :

Pat Albeck ; Matthew Bailey de la National Portrait Gallery ; Anna Buruma de chez Liberty of London ; Katelyn Brehony de chez Betsey Johnson ; Colin David de chez English Eccentrics ; Aurore Dehe de chez Cartier ; Ken Done ; Laurence Dumenil de chez Jacques Fath ; Christine Duvigneau, Valérie Bouc et Victoria Ewen de chez Hermès ; Raj Kaur de chez L'Oréal ; Laura McCuaig et Ania Wiacek du Vivienne Westwood Press Office ; Althea McNish ; Tamara Salman ; Heather Schmidt de chez Nicole Miller ; Andrew Shilton et Sally Higginson de chez Jane Shilton ; Kanyarat Thuemoh de The Thai Silk Company Ltd ; Sue Timney de chez Timney Fowler ; Sarah Tucker de chez Hardy Amies ; Sian Tucker ; et Maddalena Muzio Treccani.

Fola souhaite également remercier Eliza Banks pour ses conseils avisés et son inspiration.

SOURCE DES ILLUSTRATIONS

L'éditeur s'est efforcé d'identifier tous les détenteurs de copyright des documents présentés dans ce livre et s'excuse de toute éventuelle omission ou erreur. Toute notification d'erreur ou d'omission sera la bienvenue et sera prise en considération lors de la prochaine impression.

Pat Albeck 78
Hardy Amies 164, 168–169,
Peter Ascher 44–45, 49, 50, 52, 53, 55, 60, 61, 63, 172, 174
Au Printemps 234
Pierre Bacarra 99
Balenciaga 143, 144
Pierre Balmain 134, 135, 156
Battistoni 304
Bell 261, 262
Bellino 108
Bellotti 245
Bettmann/Corbis 4, 8
Bianchini-Férier 82
Clifford Bond 100
Burberry 235
Pierre Cardin 24, 165
Cartier 132
CinemaPhoto/Corbis 9
Christian Dior 130, 131
André Courrèges 133
Ken Done 66, 67
Dorville 239
English Eccentrics 86
Echo 43, 102, 208,
Jacques Fath 31, 129
Fendi 125
Salvatore Ferragamo 158
Filmyra Fabrics 173
Fiorucci 128
Gaywear 265
Glentex 284–285
Gucci 136, 146, 147
Halston 142
Henry à la Pensée 64
Hermès/Photo studio des fleurs 117, 118, 119. 120, 121, 122, 123
Horrockses 279
Betsey Johnson 112–113
John Springer Collection/Corbis 7
Kimbal 81
Kreier 62, 98, 228
Christian Lacroix 124
Karl Lagerfeld 152
Jeanne Lanvin 21, 140
Lariana 187
Liberty PLC 6, 25, 30, 80, 84, 85, 93, 96, 97, 109, 180
L'Oréal 241
Nicole Miller 242
Hanae Mori 145
Moschino 153, 154, 155
Jean Muir 138
© National Portrait Gallery, Londres 48, 60, 61
Jean Patou 139
Emilio Pucci 26, 166, 167
Mary Quant 157
Zandra Rhodes 76, 77, 79
Nina Ricci 148, 149, 150, 151
Richel 28
Maggy Rouff 141
Tamara Salman 83
Salterio 201
Schiaparelli 126, 127
Jane Shilton 17, 20, 27, 29, 58, 59, 79, 90–91, 101, 107, 111, 176, 182, 183, 184, 185, 188, 199, 209, 214, 224, 233, 236, 237, 246, 260, 268, 269, 281
Yves Saint Laurent 131, 161, 162
St Michael 51
Paul Smith 163
Thai Silk Company 105
Thirkell of Bond Street 106, 225, 254
Sue Timney 87
Maddalena Muzio Treccani 65
Vera 103
Versace 160
Georgina von Etzdorf 42, 70–71, 74, 75
Wecardi 202
Vivienne Westwood 137, 159

INDEX

Les numéros de page en *italique* renvoient aux illustrations

Page suivante : « Isadora Duncan », Battistoni, soie, années 1980

En couverture : Bellino, soie, années 1960
En quatrième de couverture : « Mt. Kilimanjaro », Jim Thompson, soie, années 1970

L'édition originale de cet ouvrage a paru sous le titre *Scarves*,
chez Thames & Hudson Ltd, Londres.

Traduit de l'anglais par Lydie Échasseriaud

Cet ouvrage a été reproduit et achevé d'imprimer en décembre 2020
par l'imprimerie Toppan Leefung Printing Ltd pour Thames & Hudson Ltd.

Dépôt légal : 1er trimestre 2021
ISBN 978-0-500-29628-8
Imprimé en Chine

ISADORA